LE CHOCOLAT

SERGE GUÉRIN

LES ESSENTIELS MILAN

Sommaire

Des chocolats et des passions

Christophe Colomb ne découvre le chocolat qu'en 1502, lors de son quatrième voyage en Amérique. Il n'y prêtera aucune attention. Tout le monde peut se tromper…

C'est Hernán Cortés qui, en 1524, le fait envoyer à Charles Quint et à la cour d'Espagne. Ce breuvage des dieux aztèques va se propager comme une traînée de poudre dans tout le vieux continent. Du moins au sein d'une population de privilégiés.

Longtemps après son apparition en Europe, le génie industriel des Hollandais va faire entrer le chocolat dans l'ère de la consommation de masse.

Tour à tour célébré pour ses vertus médicinales, aphrodisiaques ou gustatives, le chocolat est un produit alimentaire issu d'une matière première – la fève de cacao –, objet de négoce. Mais il est aussi un véritable art de vivre.

Trois siècles après avoir séduit madame de Sévigné et madame de Maintenon, le chocolat reste pour de nombreux esthètes du quotidien la preuve que le bonheur existe. Un élément constitutif de l'identité européenne. Il en est des chocolats comme des créations de Miles Davis, chaque morceau est un moment de voyage et d'oubli, chaque bouchée est un instant de plaisir volé à la banalité de la vie.

Un macaron de chez Ladurée, une ganache inventée par Robert Linxe ou une tasse de chocolat amer prise au café Florian à Venise ou au Tomaselli à Salzbourg s'apprécient comme les mots d'un roman de Jean Prévost, les couleurs d'un tableau de Raoul Dufy ou les nuances de la voix de Chet Baker.

Le chocolat chez les Aztèques

**L'histoire et la légende se confondent
à l'origine du chocolat. Partis à la conquête
de l'or, les navigateurs espagnols vont faire
découvrir l'or brun à toute l'Europe.**

Fouet aztèque
Les Aztèques
réalisaient
différentes
associations
d'épices pour
accommoder
le *tchocolatl*.
Mais c'est
grâce à un fouet
(nommé aujourd'hui
moulinet) qu'ils
transformaient
cette pâte
en une boisson
épaisse, froide
et toujours
mousseuse.

La légende du *cacahuaquahitl*

Les premières traces de la culture du cacao remontent
à l'ère précolombienne, il y a plus d'un millier d'années.
En effet, des peuples d'Amérique du Sud puis d'Amérique
centrale ont coutume de faire fermenter les fèves de cacao
pour en extraire une pâte ; celle-ci, additionnée à différentes épices, à de la farine et à de l'eau, constitue une boisson calorique et euphorisante, aux vertus nourrissantes et
aphrodisiaques. Selon la légende perpétuée par les Mayas,
puis par les Aztèques, Quetzalcóatl,
le demi-dieu du peuple toltèque
(situé dans l'actuel Mexique) dispo-
sant de la science de l'agriculture,
a ramené du paradis l'arbre de vie,
le *cacahuaquahitl*. Ses fèves permet-
taient aux Toltèques de préparer
le *tchocolatl*. Le chocolat symbolise
ainsi la boisson des dieux, en souvenir
de Quetzalcóatl qui sera assassiné
par des prêtres jaloux de son
importance.

> **Étymologie**
> Chocolat
> provient
> du terme
> *tchocolatl*,
> qui, en langage
> nahuati, est
> la contraction
> de deux mots
> signifiant
> ensemble
> « fruit et eau ».

Amer cacao
Le chocolat
aztèque n'a rien
à voir avec
ce que nous
dégustons
aujourd'hui.
À l'époque,
le chocolat
n'était qu'une
boisson amère
et très épicée.

Le cacao,
un aliment et une monnaie

Mais ce sont les Mayas qui font de la culture du cacaoyer
l'une des bases de leur alimentation, l'un des fondements
de l'économie de cette civilisation. En particulier, Hunahpu,
le troisième roi maya, inscrit dès le XIIe siècle la culture
du coton et celle du cacao comme les deux sources
principales du développement économique. Au-delà
du fait d'être un aliment, la fève de cacao joue le rôle
de l'étalon qui permet le négoce et l'échange au sein
de la population ainsi qu'avec les peuples voisins.

ORIGINES   FABRICATION   GOÛT

La flamboyance aztèque

Au cours de la seconde partie du XVᵉ siècle, les Aztèques qui dominent le Mexique actuel construisent une capitale flamboyante, Tenochtitlán (Mexico), envahissent et asservissent les Mayas. Ceux-ci doivent payer un lourd tribut aux Aztèques, sous forme d'esclaves, de nourriture, de plantes et de cacao. Le rôle majeur dévolu au cacao se poursuit jusqu'à l'avènement de Moctezuma en 1502, le dernier empereur aztèque.

À la cour de celui-ci, les bols de cacao bouilli et pimenté tiennent lieu de boisson unique. L'arrivée du conquistador Hernán Cortés, en 1519, annonce la fin de la civilisation aztèque. Sans le vouloir, le conquistador est accueilli et fêté par Moctezuma comme étant le descendant de Quetzalcóatl, car les soldats espagnols sont arrivés là où le demi-dieu a disparu et l'année qui doit voir, selon la légende, son retour. Les chevaux et armures des hommes de Cortés leur donnent en outre un aspect mythique qui les rapprochent de l'icône de Quetzalcóatl. Quelques mois après, Moctezuma comprend son erreur, trop tard pour organiser la résistance; enlevé par Cortés, le roi meurt, en 1520, atteint par les projectiles aztèques destinés à le libérer. De longues et sanglantes batailles se déroulent entre Aztèques et conquistadors, ces derniers finissant par écraser et asservir les populations indiennes.

C'est le début de la seconde vie du cacao.

Quetzalcóatl, personnage mi-homme, mi-dieu du peuple toltèque.

En Amérique du Sud, le cacao était la boisson des dieux, parée de toutes les vertus. Plus qu'une base essentielle de la nourriture des Indiens, la fève de cacao servira longtemps de monnaie d'échange.

La découverte du chocolat

Vainqueur des Aztèques en 1519, le conquistador espagnol Hernán Cortés va être le premier à faire connaître le chocolat en Europe. C'est également lui qui lance la culture du cacao à travers l'Amérique du Sud. La domestication du cacaoyer est en marche. Mais c'est l'adjonction du sucre qui donne naissance au chocolat.

Le chocolat d'après *Le Traité nouveau et curieux du chocolat* composé par Philippe Sylvestre Dufour, 1685.

Folio 305

Americain auec sa Choco latiere et son Gobelet

Rameau de l'arbre du Cacao

Cacao

Gousses de vanille

Traité Nouveau & Curieux du Chocolate Composé Par Philippe Sylvestre Dufour

Des conquistadors aux planteurs

Après la victoire des conquistadors espagnols, les premiers immigrants européens s'installent au Mexique, puis en Amérique du Sud. Ils cherchent à faire fortune dans l'agriculture, en particulier en développant les plantations de cacaoyers. Cortés (1485-1547) lui-même apprend à sélectionner et à traiter les fèves de cacao. Vers 1528, il profite de ses explorations pour planter des fèves dans les îles d'Haïti et de Trinidad.

En fait, la création de plantations suit de près la progression de l'empire espagnol. Bientôt toute l'Amérique du Sud mais aussi les Philippines sont couvertes de plantations.

Le cacao se conjugue alors sur le mode exclusif de l'Espagne.

Associations diverses

Au XVIe siècle, le cacao est accommodé différemment selon les pays. À Cuba, il est fréquent de le préparer avec du maïs moulu, alors que les Vénézuéliens privilégient le chocolat adouci au sucre brun et les Mexicains se régalent avec un cocktail de miel et de cannelle.

Du cacao au chocolat

Dès la découverte des Caraïbes, les Espagnols y développent la culture de la canne à sucre. Elle est ensuite implantée au Mexique. Cacao et canne à sucre doivent donc se rencontrer. Le mariage du sucré et de l'amer va donner le *tchocolatl*, le chocolat d'aujourd'hui.

À qui revient l'idée de génie d'associer ces deux dons de la nature? Certains soutiennent que ce serait à des moines espagnols, pour d'autres le mérite reviendrait aux religieuses en retraite à Oaxaca (dans l'actuel Mexique).

Quoi qu'il en soit, la vie en couvent ou en monastère semble faciliter l'imagination gourmande!

À l'origine, un médicament

Si, pour les premiers colons, le cacao remplace le vin comme boisson, il est à l'origine surtout considéré comme un médicament ou un reconstituant. Il faut dire que les médecins aztèques – mi-sorciers, mi-prêtres – utilisaient le cacao comme une plante médicinale et le beurre de cacao pour la préparation d'onguents (sortes d'emplâtres) afin de soigner les plaies. Mais rapidement, le mélange du cacao avec des matières sucrées et douces (vanille, cannelle, sucre de canne, etc.) donne au chocolat ses lettres de noblesse. Les Espagnols se délectent du chocolat souvent pris sous forme de boisson chaude, agrémentée selon l'humeur avec du miel, de la vanille ou de la cannelle. Le chocolat devient un mets doux débarrassé de son amertume d'origine. Il est prêt à quitter le Mexique pour la cour du roi d'Espagne et venir conquérir d'autres palais.

Associé au sucre au XVIe siècle, le cacao perd son amertume originelle: c'est l'invention du chocolat. Commence alors la formidable aventure de ce nectar au goût unique qui va marquer les habitudes culinaires et l'économie mondiales. Du Mexique au Venezuela, les plantations de cacao s'étendent inexorablement.

Le chocolat en Espagne

En Europe, dès le XVIe siècle, l'Espagne est le berceau du chocolat. La cour de Charles Quint va adopter avec délice le chocolat, alors que les Espagnols qui ont fait un séjour au Mexique ne peuvent plus imaginer une vie sans cacao.

Le cacao pris comme un médicament

C'est en 1524 que le roi d'Espagne, Charles Quint (1500-1558), découvre la fève de cacao. Un présent adressé par le conquistador espagnol Hernán Cortés (*voir* pp. 6-7). Dans les premiers temps, le cacao, avec son amertume, passe pour un médicament utile pour soigner toutes sortes de maladies et infections.

Le cacao bénéficie surtout d'une réputation de reconstituant, voire d'élixir de jeunesse et de vaillance. Mais à mesure que les recettes proposées donnent la priorité à l'alliance du cacao et du sucre, éloignant ainsi l'amertume, le chocolat gagne – en plus de son image de tonifiant – sa réputation gustative.

La cour d'Espagne chocolamaniaque

Très vite, le roi et sa cour adoptent ce mets des dieux. Les premières années, le secret de la recette du chocolat sucré et vanillé reste de l'autre côté de l'Atlantique.

Les conquistadors trouvant plus lucratif de commercialiser un produit fini que de vendre simplement les fèves.

Mais, en 1528, lorsque Cortés rentre en Espagne, il rapporte, outre des fèves, la recette de la préparation et les ustensiles nécessaires à sa confection. Dès lors, la noblesse espagnole est définitivement conquise: le chocolat préparé sur place n'a plus à subir l'altération due aux deux mois de traversée dans les soutes des navires.

L'Église contre le mets des dieux

Le succès du chocolat est tel qu'il n'est pas rare de voir les femmes de la noblesse se faire servir une tasse fumante de chocolat lors des offices religieux. La noble assistance supporte ainsi plus agréablement la longueur et la monotonie des sermons. La boisson calme aussi la détresse des estomacs.

Mais cette nouvelle façon de suivre la messe entraîne le courroux des évêques. Certains prélats décident d'interdire le chocolat dans les églises, et menacent même d'excommunier celles qui s'adonnent à cette pratique gustative. En réponse, ces dames choisissent de s'installer dans des lieux où le prêtre se fait plus compréhensif. Les évêques frondeurs doivent rapidement reculer. La victoire du chocolat est consommée.

Le chocolat rompt-il le jeûne ?

L'importance du chocolat dans la vie quotidienne de l'Espagne catholique entraîne un débat capital : boire du chocolat rompt-il le jeûne ? Si le chocolat est considéré comme un aliment, il doit être interdit. Au contraire, s'il est perçu comme une boisson, il est admis…
Il faut attendre 1662 pour que le cardinal Brancaccio donne la position officielle de l'Église. Le chocolat, comme le vin, est une boisson qui ne rompt pas le jeûne.

Début d'une industrie

La première fabrique de chocolat est créée en Espagne en 1580. L'ère de l'industrialisation entraîne le développement d'un commerce régulier et d'importance entre Europe et Amérique. Progressivement, la consommation de chocolat dépasse le cercle restreint des habitués de la Cour, pour conquérir la minorité des Espagnols fortunés et privilégiés.

Le premier rapport d'expert

Après avoir passé près de vingt ans au Mexique, Francisco Hernandes remet au roi Philippe II (1527-1598) un rapport sur les vertus médicinales du chocolat. Cette étude publiée en 1651, *Rerum Medicarum*, est le premier texte scientifique sur le cacao.

D'abord utilisé pour ses vertus médicinales supposées, le cacao, agrémenté de sucre, devient furieusement à la mode à la cour du roi d'Espagne, Charles Quint. Dès 1580, le chocolat est produit à plus grande échelle. Mais son prix élevé limite sa diffusion.

Le chocolat en Europe

Un siècle, c'est le temps qu'il faudra au chocolat pour séduire l'Europe entière. De l'Italie à la France, d'alliances royales en échanges commerciaux, le chocolat contribue à une culture européenne commune jusqu'aux confins de la vieille Russie.

Richelieu

Armand Jean du Plessis, cardinal de Richelieu (1585-1642), est parmi les premiers en France à s'adonner aux plaisirs du chocolat.

La bataille de France

Ce sont les juifs espagnols, fuyant l'Inquisition, les persécutions et la mort, qui vont révéler le secret de fabrication du chocolat à l'Europe. En France, les premiers chocolatiers s'installent, dès 1609, au Pays basque français.

Mais le chocolat acquiert ses premières lettres de noblesse avec l'union, en 1615, de deux enfants de quatorze ans, Louis XIII et Anne d'Autriche, fille du roi d'Espagne Philippe III. L'Histoire retiendra qu'Anne d'Autriche fut une remarquable ambassadrice du chocolat à la cour du roi de France.

L'Histoire se répète en 1660 : la France célèbre le mariage de Louis XIV avec Marie-Thérèse d'Autriche, fille de Philippe IV d'Espagne. Si le Roi-Soleil dédaigne autant sa femme que le chocolat, la Cour raffole de ce mets prodigieux. Jusqu'à la Révolution française, le chocolat reste, comme en Espagne, surtout l'apanage des nobles.

Le tour d'Europe du chocolat

Chocolatiers parisiens

Chaillou, Rere, Renaud et Roussel vont successivement ouvrir des chocolateries à Paris et vendre aux riches gourmets. Roussel, situé à Saint-Germain-des-Prés, est le premier, en 1776, à avoir l'idée de marquer ses chocolats à son nom.

Depuis le milieu du XVIe siècle, les Hollandais ont l'habitude de piller les navires espagnols. Ils ne sont pas longs à prendre conscience de la valeur du cacao. Ils vont alors se spécialiser pour longtemps dans le convoyage du cacao. Amsterdam devient le principal port de commerce pour le cacao.

La route du cacao passe ensuite de la Hollande à l'Allemagne, puis dans les pays du nord de l'Europe. Mais la découverte du chocolat se fait aussi à partir de l'Italie. La noblesse de Venise et de Florence découvre le cacao, dès 1595, grâce à Francesco Carletti qui, de retour d'Amérique, transmet les secrets de la fabrication du chocolat aux Italiens. Les chocolatiers italiens raffinent et améliorent le chocolat, imposant

ORIGINES | FABRICATION | GOÛT

Ci-contre :
un cavalier
et une dame
buvant du chocolat.
Gravure de Bonnart.

Les États-Unis aussi
Bien que très proche
géographiquement
du Mexique,
l'Amérique
ne découvre
le chocolat qu'avec
retard, vers 1760,
et grâce aux colons
anglais.

un style qui sera apprécié par toute l'Europe. Un savant allemand, Johann Georg Volckaner, ayant testé le chocolat à l'italienne va aussi contribuer à sa popularisation après son retour en Allemagne au début du XVIIᵉ siècle.

Chocolat à l'anglaise

Vainqueurs des Espagnols en Jamaïque en 1655, les Anglais mettent la main sur un trésor de formidables plantations de cacao. Rapidement, des chocolateries fleurissent à travers l'île.

En 1674, un café londonien fort connu et à la mode, *Coffee Mill and Tobacco Roll*, propose les premiers chocolats sous forme de gâteaux ou «en boudin à l'espagnole», c'est-à-dire des chocolats à croquer.

Enfin, la Suisse

Ce n'est qu'à la toute fin du XVIIᵉ siècle que les bourgeois de Zurich découvrent le chocolat. C'est le début d'une aventure gustative et économique entre la Suisse et le chocolat. François Louis Caillet, après avoir fait son apprentissage en Italie, sera le premier fabricant de chocolat suisse en 1819.

Heureusement
pour l'Europe,
l'Espagne
ne conserve pas
indéfiniment
le privilège
de la connaissance
du chocolat.
À partir
du XVIIᵉ siècle,
grâce à la Hollande
et à l'Italie,
toute l'Europe
succombe
au bonheur procuré
par le chocolat.

Des lieux magiques

Les cafés, les salons-pâtisseries font partie de l'histoire et du plaisir du chocolat. Ces endroits magiques sont l'expression de l'art de vivre à l'européenne, le lieu de discussions sans fin, le rendez-vous de l'élite intellectuelle et artistique du moment.
La Vienne de l'Empire austro-hongrois est le symbole de cette alchimie.

Café Florian
C'est l'un des plus anciens cafés de Venise et d'Italie (photo *ci-dessous*) : il est fondé en 1720. Longtemps il a été le rendez-vous privilégié des privilégiés. George Sand (1804-1876) aimait y venir goûter la vie et quelques mets, tout comme Johann Wolfgang von Goethe (1749-1832), Marcel Proust (1871-1922), Charles Dickens (1812-1870), etc.

Les cafés viennois

Le café est une institution viennoise, héritée du siège de Vienne par les Turcs en 1683. Ces derniers ont laissé, après leur fuite, des sacs de café en grains. La boisson a donné son nom au lieu de consommation. Mais c'est au cours du XIXᵉ siècle, et jusqu'aux années 1930, que le café devient le rendez-vous essentiel de la bourgeoisie et des artistes viennois. Les écrivains, en particulier, passent leurs journées au café à discuter, lire la presse ou écrire. De temps en temps, ils dégustent un chocolat ou un café accompagné d'une pâtisserie. Le Café central est le siège du journaliste polémiste Karl Kraus (1874-1936). Le Café

ORIGINES FABRICATION GOÛT

Les Deux-Magots
Le plus viennois des cafés parisiens. De Rimbaud (1854-1891) à Simone de Beauvoir (1908-1986), la France littéraire a fréquenté rituellement ce lieu unique. Le chocolat mousseux reste l'un des meilleurs de Paris et l'on peut déguster de goûteuses pâtisseries en lisant *Le Monde* ou le *Herald Tribune* disponibles gracieusement.

Muséum, réalisé par Adolf Loos (1870-1933) – le maître du *Jugendstil* (l'un des principaux styles architecturaux ayant marqué la construction de Vienne) – est fréquenté assidûment par l'écrivain Robert Musil (1880-1942). Ces deux exemples symbolisent l'alliance de l'esprit et du chocolat.

Demel, Sacher, Landtmann, Tomaselli

Ces quatre noms résument l'art de vivre du chocophile distingué. Depuis des siècles, à Vienne, Demel, fournisseur officiel et exclusif de la cour impériale, est la pâtisserie la plus célèbre d'Autriche. Des gâteaux par centaines y sont proposés dans un décor savoureux.

L'hôtel Sacher est fondé, en 1876, par le propre fils du créateur de la *Sacher Torte*, la première pâtisserie au chocolat. Ce biscuit, inventé par le chef cuisinier du prince de Metternich (1773-1859), est bien sûr toujours à la carte de la maison Sacher.

Le café Landtmann est un endroit qui respire l'élégance et la sobriété. Déguster l'un des meilleurs chocolats de Vienne et une pâtisserie en terrasse face au Ring (le boulevard circulaire de la ville) est un plaisir rare.

À Salzbourg, depuis l'aube du XVIIIe siècle, le café Tomaselli propose dans un décor sans équivalent son chocolat chaud et un assortiment de pâtisseries. Mozart (1756-1791) déjà venait y faire goûter ses enfants.

Le premier club de chocophiles

L'Angleterre abrite le premier club de chocophiles de l'histoire, le célèbrissime *Cacaotree*, fondé en 1746. Ce club ne se contente pas de dégustation : c'est ici que, pour la première fois, on a eu l'idée de substituer le lait à l'eau pour la confection du chocolat liquide. Mais le *Cacaotree* est aussi un club politique où complotent les partisans des Stuarts.

Souvent, les cafés sont des lieux où s'associent plaisir de la dégustation et celui de la contestation ou du débat. À Vienne ou à Paris, ces endroits permettent de goûter, avec esprit, un bon chocolat chaud complété d'un macaron ou d'une pâtisserie.

De la cabosse à la fève

La fève est la matière première, la source originelle qui donne, à l'arrivée, le chocolat.
La fève est le fruit du cacaoyer.
Mais le cacaoyer demande un environnement spécifique pour croître et donner des cabosses riches en fèves de cacao.

Le rôle de l'eau
Le cacaoyer est plutôt sensible à l'évolution des conditions climatiques. Un trop long déficit d'humidité empêche le cacaoyer de donner des fruits.

Terre de cacaoyer

Cet arbre de taille moyenne provient à l'origine des terres fertiles de l'Amérique centrale et du Sud. Mais il a trouvé en Afrique de l'Ouest les conditions idéales pour se développer. En fait, le cacaoyer ne s'exprime qu'au sein d'une zone magique située entre le 20e et le 22e parallèle. Il lui faut bénéficier d'un climat à la fois humide et ensoleillé, ainsi que d'une température dont la moyenne se situe aux environs de 28 °C. Le cacaoyer ne fleurit qu'au bout de quatre ans. La durée de vie moyenne d'un arbre est de cinquante ans.

Un arbre précieux

Les plantations de cacaoyers nécessitent des attentions méticuleuses. En particulier, il faut veiller à maintenir l'équilibre entre l'humidité et le soleil. En outre, le cacaoyer a besoin d'ombre pour s'épanouir harmonieusement. À l'origine, il s'est développé sous la protection d'arbres beaucoup plus grands qui faisaient écran au soleil.
Par ailleurs, les planteurs doivent irriguer les sols, si nécessaire, pour assurer une bonne hydratation des racines tout en évitant tout risque de pourrissement.

La cabosse

La cabosse est l'enveloppe qui contient la fève, le fruit du cacaoyer. L'éclosion du fruit relève du miracle car la fleur, blanche et toute petite, à la fois femelle et mâle, a moins d'un jour pour sécréter des graines de pollen qui sont actives seulement pendant quarante-huit heures. Enfin, seuls les insectes peuvent procéder à la pollinisation de la cabosse. Bref, une fleur sur cent donne une cabosse. Comme la fleur, la cabosse pousse directement à même le tronc de l'arbre. En revanche, les branches sont désespérément nues.

Arbre multiple
Le cacaoyer donne simultanément des feuilles, des fleurs et des fruits. Plusieurs fois par an, les feuilles apparaissent, mais l'arbre, lui, est en floraison permanente.

La cabosse contient de trente à quarante fèves bien ordonnées dans un écrin pulpeux et sucré. L'écorce de la cabosse est très résistante. Elle peut mesurer environ 15 à 30 cm de longueur et 6 à 10 cm de largeur.

Il faut environ vingt cabosses pour donner un kilo de fèves séchées.

Changement de couleur

En mûrissant, la cabosse change de couleur : elle peut passer du vert au jaune, ou du rouge à l'orange. Car la couleur dépend aussi de l'espèce de cacaoyer (*voir* pp. 26-27). Il faut compter de quatre à six mois pour que la cabosse atteigne sa maturité.

Le cacaoyer donne un fruit, la cabosse, qui porte une quarantaine de fèves. Après quatre à six mois de gestation, les graines arrivent à maturité. Mais ce lent processus demande des conditions climatiques optimales, tant du point de vue de l'ensoleillement que du degré d'humidité. Aussi, les plantations nécessitent-elles une surveillance maximale.

La fève

Les graines se développent en se nourrissant de la pulpe des cabosses. Comme le haricot, la fève est constituée de deux parties et d'un germe. Le tout est enveloppé d'une fine peau. Si la pulpe est goûteuse, la fève, chargée en tanin, est quant à elle particulièrement âpre. Impossible de retrouver le goût et l'odeur du chocolat à partir de la fève ! La route est encore longue avant d'arriver à produire du chocolat.

Le traitement des fèves

De longs traitements sont nécessaires pour que la fève se transforme en cacao. À l'image du vin, le cacao est le produit d'une transformation physique autant que chimique.

Sécurisation maximale

Si le stockage s'effectue dans des lieux secs et désinfectés régulièrement, les fèves peuvent être stockées des années (cinq ans au maximum) sans encourir le moindre dommage.

De la cueillette à la fermentation

Après la cueillette (deux récoltes par an) et l'écabossage (on enlève la cabosse), qui se fait encore majoritairement à la main car il est impératif de ne pas abîmer l'écorce de l'arbre ou les fleurs, la fève, une fois à l'air libre, entre instantanément dans une phase de fermentation. Le vin est le résultat de la fermentation du jus de raisin. Il en va de même pour le cacao. C'est le produit du processus

Sélection

Au moment de la cueillette ou avant le stockage, les fèves sont nettoyées et sélectionnées méticuleusement. Ainsi, les graines présentent une qualité homogène et sont débarrassées de tout parasite (terre, poussière...).

chimique qui transforme une matière brute, la fève, en un produit goûteux, le cacao.

La fermentation est à la fois interne et externe.

En premier lieu, la fève fermente en réaction aux agressions extérieures. Puis, au sein de la fève, se déroule une fermentation alcoolique qui s'oxyde ensuite en acide acétique (il s'agit d'un processus de fermentation chimique).

Le séchage

Dès la fermentation terminée, la phase du séchage des fèves débute. Elle demande une dizaine de jours au soleil. Les modes de séchage diffèrent fortement en fonction des traditions locales et selon qu'il a plu, ou non, durant la récolte. Parfois, les graines sèchent directement sur le sol, d'autres fois elles reposent sur des claies, des lattes de bois ou des dalles en béton. En fait, le seul impératif, c'est de les protéger de la pluie.

Aujourd'hui, de plus en plus souvent, en particulier dans les très grandes exploitations, le séchage se fait de façon artificielle. Pendant une dizaine d'heures, les fèves sont séchées par de l'air chauffé à 120 °C. Si, *a priori*, cela n'a pas de conséquence sur la qualité gustative des graines, les fèves en contact avec la vapeur risquent de prendre un goût malheureux qui se retrouvera dans le chocolat.

Mais l'objectif premier du séchage est de diviser par dix la teneur en eau de la fève, qui passe de 60 % à moins de 8 % afin de permettre la meilleure conservation possible et éviter tout risque de moisissure et de dégradation.

La torréfaction

Après ces différentes étapes, la torréfaction peut intervenir. Il s'agit d'abord de procéder au concassage, c'est-à-dire de réaliser la séparation de la fève et de la coque. Pour cela, on chauffe à 140 °C les fèves de façon très rapide. Dans certains cas, le procédé utilise des rayons infrarouges. La torréfaction consiste à faire jaillir les arômes du cacao par augmentation de la température (entre 120 et 140 °C). Là aussi, comme lors du séchage, il y a un risque de brûler les fèves.

Après la torréfaction vient l'opération du concassage, qui a pour objectif de faire éclater les fèves (*voir* pp. 24-25).

Les pieds noirs
Pour rendre
la présentation
des fèves plus
séduisante,
les femmes
et les enfants
peuvent fouler
les fèves
de leurs pieds nus
au moment
du séchage.
Cela donne
un aspect brillant
et plus régulier.

De la cueillette des fèves à la torréfaction du cacao, le parcours est complexe. Chaque étape nécessite de prendre toutes les précautions pour ne pas brûler, risquer d'abîmer ou faire moisir cette graine si précieuse qui donnera le cacao.

Les produits de la fève

À partir de la graine ou fève de cacao, différentes substances et produits peuvent être dégagés. Certains interviennent directement dans la fabrication du chocolat, d'autres n'ont pas d'utilisation importante.

Le beurre de cacao

À l'origine, le goût de la fève est plutôt âpre et pour tout dire désagréable. Rien ne permet d'imaginer la transformation en chocolat. En revanche, la pulpe, contenue dans la cabosse (*voir* pp. 14-15), est plus sucrée et quelque peu acide.

Mais le pressage de la fève de cacao, après fermentation et traitement (*voir* pp. 16-17), génère deux substances différentes :
– la pâte de cacao, forme liquide qui va donner le futur chocolat ;
– le beurre de cacao, qui représente environ 40 à 60 % du contenu des fèves. C'est aussi la partie la plus intéressante, la plus goûteuse, pour les pâtisseries notamment.

> **Quatre acides pour le beurre de cacao**
> Le beurre de cacao est composé de deux acides gras saturés – acide palmitique, acide stéarique – et de deux acides gras insaturés – acide linoléique, acide oléique (*voir* pp. 40-41).

> **Le vinaigre de cacao**
> Lors de la fermentation des fèves, un processus d'alcoolisation des sucres conduit au développement des bactéries de l'acide lactique. Dans le même temps, la pulpe de la cabosse se liquéfie et s'échappe pour former un jus. Parfois ce jus est récupéré pour en faire un vinaigre rare et goûteux.

Tablette ou poudre de cacao

À partir d'une pâte liquide de cacao, il est possible de produire du chocolat en bloc. C'est-à-dire en raffinant et en pétrissant la pâte avec le sucre et le beurre de cacao. Mais il est aussi possible d'effectuer, au moment du broyage, un pressage de la pâte expurgée du beurre de cacao. Cette pâte est appelée tourteau.

Ce tourteau est malaxé et broyé pour devenir une poudre de cacao.

Généralement, cette poudre sert à la fabrication de boissons au goût chocolaté ou à la décoration de différents gâteaux et bonbons ; voire même, dans quelques pays du Sud-Est asiatique, de poudre de tabac.

ORIGINES · **FABRICATION** · GOÛT

Composition chimique de la fève : la matière brute

	Fève de cacao	Pâte de cacao
Glucides dont :	13%	28%
– amidon	6%	8%
– cellulose	4%	3%
– autres	3%	17%
Protides	18%	6,4%
Lipides	56%	54%
Théobromine	1,45%	1,10%
Caféine	0,05%	0,50%
Tanins	5%	5%
Cendres	3,5%	3%
Eau	3%	2%

La part des sucres et des graisses est très forte dans la pâte de cacao. La transformation de la fève de cacao en chocolat à consommer fera évoluer la composition chimique d'origine.

Le traitement de la fève de cacao permet d'extraire du jus, du beurre et de la pâte. C'est la pâte de cacao qui constitue à la base le chocolat, mais c'est le beurre de cacao qui lui donne son aspect goûteux.

Les grands inventeurs

Le chocolat compte aussi ses pionniers, ses inventeurs et ses capitaines d'industrie. Le développement de la consommation en Europe, dès le XVIIIᵉ siècle, décuple les ardeurs des inventeurs comme celles des entrepreneurs. En retour, l'industrialisation de la production de chocolat fait croître la demande.

Lumière sur le chocolat

Diderot (1713-1784) décrit la préparation du chocolat dans un article de l'*Encyclopédie* (1747 à 1766).

De la récolte des fèves au laboratoire, cette gravure montre les différents ateliers de l'un des premiers fabricants de chocolat.

Les premières machines

Il est logique que ce soit en Grande-Bretagne, le pays qui a vu naître la révolution industrielle, que les premières machines à fabriquer le chocolat soient apparues au début du XVIIIᵉ siècle. Dès les années 1730, à Bristol, l'inventeur Walter Churchman utilise une presse.

C'est le début de la mécanisation de la production qui ouvre vers la consommation de masse.

Plus tard, en 1761, l'entrepreneur Joseph Fry reprend la presse de Churchman et développe la première marque nationale de chocolat: *Fry's*. Une marque qui poursuivra sa carrière jusqu'au XXᵉ siècle. Il est aussi à l'origine des premières véritables tablettes de chocolat, même si les jésuites

ORIGINES | FABRICATION | GOÛT

Le chocolat au lait
En 1875, la Suisse
Daniel Peter crée
le chocolat au lait.
Mais la fabrique
prend réellement
son essor, à partir
de 1905, grâce
à l'utilisation
du procédé
de condensation
du lait mis au point
par Henri Nestlé.
Ce procédé permet
de conserver
et de mélanger
le lait avec d'autres
aliments.

installés au Mexique avaient depuis longtemps créé du
chocolat à croquer (le célèbre chocolat présenté en
«boudin à l'espagnole», *voir* pp. 10-11).
Après Fry, les deux entrepreneurs Rowntree ou Cadbury
vont marquer l'histoire du chocolat en Grande-Bretagne
et bien au-delà de ses frontières.

La marque française

En 1778, François Doret présente la première machine
hydraulique pour broyer le cacao à la faculté de médecine
de Paris. À la suite de cette invention, la marque Doret reçoit
le titre de Fabrique royale. Très rapidement, la machine
sera utilisée par d'autres fabricants français. La France, alors
premier importateur de cacao, détient aussi la meilleure
technologie pour la production de chocolat.

L'école suisse

C'est seulement en 1792 qu'apparaît en Suisse une chocolaterie, celle des frères Josty, située à Berne. Mais l'histoire
retient surtout le nom de François Louis Caillet qui fonde
à Vevey, en 1819, la première fabrique de chocolat de
Suisse. L'entrepreneur initie l'école industrielle suisse du
chocolat. Cette école est symbolisée par des grands noms
suisses comme Philippe Suchard, qui crée sa fabrique
en 1824 à Neuchâtel, puis Charles André Kohler en 1828.
À leur suite, Rodolph Lindt, Jean Tobler, Henri Nestlé
ou encore Daniel Peter (avec le chocolat au lait,
voir ci-dessus) vont chacun marquer de leur empreinte
l'histoire du chocolat.

À la fin
du XVIIe siècle,
le chocolat passe
de l'artisanat
à l'industrie.
Ce sont les
industriels anglais
qui, les premiers,
introduisent
la mécanisation
dans la fabrication
du chocolat.
Des inventeurs
comme
Van Houten ou
Caillet font entrer
le chocolat dans
la modernité.

La chocolaterie Menier

Durant près d'un siècle et demi, quatre générations de Menier ont symbolisé le passage du chocolat de l'ère artisanale à l'ère industrielle. Aujourd'hui encore, les tablettes Menier conservent une forte notoriété.

De la pharmacie au chocolat

Jean-Antoine Brutus Menier fonde à Noisiel (Seine-et-Marne), en 1824, une entreprise de fabrication de médicaments dont certains étaient enrobés de chocolat. Rapidement, il prend conscience que le cacao permet de préparer des chocolats et confiseries qui plairont au public et en particulier aux enfants.

Durant une trentaine d'années, les chocolats et les médicaments seront fabriqués dans la même usine !

Émile-Justin Menier (*voir* ci-contre), après des études de pharmacie lui aussi, prend la succession de son père en 1853. À cette époque, la production annuelle atteint six cents tonnes de chocolat, contre moins de deux cents tonnes vingt ans auparavant.

Émile-Justin Menier va rationaliser l'organisation de l'entreprise en séparant les deux activités. Le chocolat reste à Noisiel, tandis que la pharmacie est installée dans une nouvelle usine construite à Saint-Denis (actuelle Seine-Saint-Denis). Par la suite, Émile-Justin Menier développe une nouvelle activité, la production de caoutchouc, avec une usine à Grenelle.

Du chocolat à la politique

Émile-Justin Menier (1826-1881) est aussi un acteur politique. Député-maire de Noisiel sous la IIIe République, il se situe au centre gauche. Il vote l'amnistie des communards et finance des journaux progressistes. Il est en faveur du libre-échange et prône une réforme hardie des impôts, fondée sur la taxation du capital. Surtout, les salariés de Menier bénéficient de conditions sans commune mesure avec la pratique habituelle (assistance sociale, salaire, logement).

La première multinationale du cacao

Émile-Justin Menier met progressivement en place un contrôle complet de la filière du cacao. À partir de 1862, il achète des plantations au Nicaragua pour s'assurer des approvisionnements en fèves et se prémunir contre la spéculation sur les cours du cacao. Pour les mêmes raisons, il constitue sa propre flotte commerciale. Il dispose, en outre, d'une importante fabrique de sucre blanc à Roye dans la Somme. Enfin, Menier prend directement en charge la distribution de ses produits.

Le goût de la réclame

Menier se distingue aussi par sa stratégie de communication. Dès l'origine, Menier s'affiche comme une marque.

Mais, au début du XXᵉ siècle, ce sont les petits-enfants du fondateur qui développent une politique de notoriété, en inventant des slogans qui font mouche, mais surtout en popularisant la petite écolière dessinée par Fernand Bouisset, l'auteur des figures de LU. Elle deviendra aussi connue que le Bibendum de Michelin (photo *ci-dessous*). L'emballage vert des tablettes du chocolat Menier et la présence, sur cet emballage, de médailles remportées lors de concours, restent, aujourd'hui encore, symboliques du chocolat à la française.

Architecture industrielle

Devant le succès des chocolats Menier, Émile-Justin Menier fait construire, en 1870, une nouvelle usine ultramoderne sur le site de Noisiel. Conçue par Jules Saunier, l'usine est considérée comme un chef-d'œuvre de l'architecture industrielle. Elle est d'ailleurs surnommée, à l'époque, « la cathédrale ».

De Menier à Nestlé

Les successeurs de Émile-Justin Menier n'auront pas la même réussite. En 1960, l'entreprise est rachetée par les chocolats Rozan, avant de passer dans la sphère du groupe Rowntree Macintosh, puis de rejoindre le géant Nestlé.

> Menier innove en mettant en place un contrôle complet de la filière du cacao. Le chocolatier est aussi le premier à penser une politique de communication.

La fabrication du chocolat aujourd'hui

Si la plantation, la cueillette et le traitement des fèves ont peu évolué depuis trois siècles, la phase de raffinage et de fabrication des tablettes s'est considérablement industrialisée.

Moins de granulations dans le sucre

Jadis, les chocolatiers utilisaient du sucre cristallisé. Depuis, pour répondre à l'attente des consommateurs, on utilise du sucre glace, en fait du sucre très fortement broyé. Le taux de granulation du sucre glace est dix fois inférieur à celui du sucre traditionnel.

Apparition du sucre

Après le concassage des fèves et le mélange des différents cacaos (*voir* pp. 26-27), il est nécessaire d'effectuer le broyage pour obtenir une pâte de pur cacao. À ce moment, il faut compléter la pâte avec du sucre (*voir* ci-contre) et du beurre de cacao (*voir* pp. 18-19).

Cette adjonction de sucre donne du liant à la pâte. De plus, elle favorise l'élimination des restes d'eau et des acides (*voir* pp. 18-19).

Après ces opérations, il importe de poursuivre le raffinage pour faire disparaître, autant que faire se peut, la granulation. Ce sont des broyeurs à cylindres qui diminuent la taille des particules solides présentes dans la pâte en dessous des trente millièmes de millimètre.

Le temps de l'étuvage

Après le passage dans les broyeuses, la pâte de cacao contient des grumeaux. Elle doit donc séjourner durant deux jours dans des étuves pour retrouver son homogénéité. Le passage en étuve, sous une chaleur d'environ 60 °C, favorise le renforcement du futur arôme du chocolat.

Surnoms
La pâte de cacao est aussi surnommée liqueur de cacao ou masse.

Le conchage

Il s'agit de malaxer la pâte de cacao, comme l'on pétrit d'une certaine façon le pain, pour lui donner la souplesse nécessaire et pouvoir ainsi la transformer en aliment. Longtemps, le conchage s'est pratiqué manuellement dans des sortes de pétrins en forme de coquille, appelés *conchas* en espagnol.

Aujourd'hui, il s'agit de machines à rouleaux qui brassent lentement et en tous sens la pâte. Le temps et la température du conchage sont fonction du produit désiré. C'est à ce moment-là aussi que l'on rajoute le beurre de cacao, la lécithine de soja et des compositions aromatiques pour donner de l'onctuosité et un goût spécifique au chocolat. Le conchage est vraiment le « moment de vérité » du chocolatier. C'est là que l'artisan, comme le fabricant, va faire la différence. Il va tenter de donner à son chocolat l'onctuosité, la finesse et le goût qu'il désire.

Tempérage

La dernière opération qui forme le chocolat consiste à diminuer progressivement la température de traitement de la pâte pour permettre sa cristallisation. Cette descente de température contribue à fixer l'aspect extérieur du chocolat, de façon homogène et brillante.

De l'étuvage au tempérage, la transformation de la fève de cacao en un chocolat prêt à être consommé tient de l'alchimie et de l'industrie. C'est au moment du conchage qu'un certain savoir-faire est le plus nécessaire. Car c'est l'instant où la pâte de cacao est sculptée, prenant ainsi toute son onctuosité et tout son goût.

Les variétés de cacaos

Comme le vin, le chocolat a ses grands crus. Le chocolat provient du mélange de différents «cépages» de cacaoyers. Selon la terre d'origine, l'ensoleillement et les conditions climatiques, les fèves ne présentent pas les mêmes caractéristiques.

Theobroma, le vrai cacao

Les botanistes distinguent trois familles de cacaoyers: les Sterculiacées, les Byttneriées et les Theobroma L. Des trois types de cacaoyers, un seul, le Theobroma L., est réellement cultivé et produit le cacao destiné à fabriquer du chocolat. C'est le célèbre naturaliste suédois Carl Von Linné (1707-1778) qui, en 1737, donne au cacao son nom scientifique de «Theobroma cacao», dérivé du grec *théos*, pour « dieu », et de *broma*, pour « breuvage ». Le «L» de Theobroma L. est donc une référence à Linné. Mais la famille des Theobroma L. se divise encore en trois groupes qui forment les grandes origines des cacaos. On distingue les *criollos*, les *forasteros* et les *trinitarios*, ces derniers étant hybrides des deux premiers.

Les *criollos*

Les fèves de *criollos* constituent le «haut de gamme» du cacao. À l'origine, les *criollos* proviennent du Venezuela, mais on en retrouve aujourd'hui dans plusieurs endroits d'Amérique du Sud et du Pacifique. À noter que si des chocolats étaient fabriqués uniquement avec cette famille de cacao, ils seraient d'aspect rouge tendance acajou. Le goût serait sensiblement différent en comparaison avec les chocolats habituels. Les fèves de *criollos* sont particulièrement aromatiques et douces; elles offrent un cacao à l'amertume discrète. En dépit de la qualité de cette variété, la faiblesse de la

> **Traduction espagnole**
> *Criollos* provient de *criollo*, qui signifie « créole ». *Forasteros* est dérivé du mot *forastero*, c'est-à-dire « étranger ». Enfin, la famille des *trinitarios* tient son origine de l'île de Trinidad.

ORIGINES | FABRICATION | GOÛT

production des *criollos* rend leur prix très élevé, interdisant
une utilisation exclusive. En effet, les *criollos* représentent à
peine 10 % de la production mondiale de fèves et cette part
tend à se réduire. Cela parce que les surfaces de plantations
nécessaires sont limitées par des conditions de terrain et de
climat drastiques, parce que la culture des *criollos* exige un
savoir-faire plus complexe, parce que enfin les producteurs
préfèrent cultiver des variétés plus productives.

Les *forasteros*

Les fèves *forasteros* constituent le tout-venant de la production de cacao. L'origine de cette variété de fève provient de
la région de l'Amazone. Aujourd'hui, 75 % de la production mondiale est formée par des fèves issues du groupe des
forasteros. La variété des *forasteros* englobe plusieurs types
de fèves aux caractéristiques proches qui se développent
au Brésil, dans une grande partie de l'Amérique du Sud
et sur le continent africain. Cette espèce est plus résistante
que les *criollos*, elle est aussi plus facile à produire.

Les *trinitarios*

Cette variété est le résultat
d'un croisement réalisé entre
les *forasteros* et les *criollos*.
Elle possède des caractéristiques aromatiques proches
de celles des *criollos*
mais se rapproche des
conditions de production
des *forasteros*.
C'est pourquoi sa part
relative augmente pour
représenter plus de 15 % de la
production mondiale.

Il n'existe pas une
mais trois variétés
de fèves de cacao.
Les *forasteros*
forment plus
de 75 % de la
production
mondiale.
Les *criollos*
et les *trinitarios*
présentent certes
de meilleures
caractéristiques
aromatiques,
mais leur part
dans la production
mondiale reste
très minoritaire.

Blanc, au lait ou noir

Le chocolat prend le plus souvent la forme de tablettes. Mais il y a tablette et tablette. La différence provient essentiellement du taux de cacao qui est une mesure – insuffisante – de la qualité du chocolat. Mais il s'agit aussi de ne pas confondre chocolat et chocolat.

Des tablettes à foison

Produit courant, la tablette est fabriquée par de très nombreux chocolatiers, de façon industrielle comme artisanale. Mais à côté de marques connues (Lindt, Suchard ou Nestlé), ou d'artisans faisant référence (Cazenave ou La Maison du Chocolat), d'autres acteurs apparaissent. Le plus récent étant les magasins Habitat qui proposent leur propre marque.

Des pourcentages

En Europe, les tablettes de chocolat noir sont divisées en trois appellations en fonction du taux de cacao et portent obligatoirement la mention de ce taux. Plus le taux de cacao est fort, moins le sucre est présent et, généralement, plus il y a de beurre de cacao (*voir* pp. 18-19). Le cacao donne l'arôme, le beurre de cacao produit de l'onctuosité. Bref, d'une façon générale, l'importance du taux de cacao fournit une indication précieuse sur la qualité du chocolat. Mais l'origine du cacao et la qualité de son traitement sont aussi déterminantes (*voir* pp. 16-17).

– Une tablette présentant une teneur minimale en cacao de 30 % est dite chocolat de ménage. Le chocolat de ménage est surtout utilisé pour

ORIGINES   FABRICATION   GOÛT

certaines confiseries, enrobage de bonbons divers, ou pour
réaliser des figures et objets en chocolat.
– Une tablette présentant une teneur minimale en cacao
de 35% est simplement dite chocolat (anciennement
« chocolat à croquer »).
– Une tablette présentant une teneur minimale en cacao
de 43% (norme juridique) et au moins 26% de beurre
de cacao est dite chocolat supérieur, chocolat surfin ou
chocolat de dégustation.

Les catégories de chocolat

Les deux principales catégories de chocolat sont le chocolat
noir et le chocolat au lait. Le chocolat au lait contient
au moins 18% de matières d'origine lactique et 30%
de cacao au minimum. D'autre familles de tablettes
se développent: les chocolats aux noisettes (mais aussi aux
amandes, aux noix ou aux noix de pecan…) sont divisés
en trois sous-catégories selon que la matière est broyée,
en morceaux ou entière; sans oublier les chocolats qui
croustillent grâce à l'intégration de grains de riz dans la
masse, les chocolats truffés et fourrés. Mais ces deux
dernières catégories se rapprochent des articles de confiserie.

Faux chocolat

Le chocolat blanc n'a ni la couleur ni le goût du chocolat.
Ce qui est logique puisqu'il est composé de tout sauf
de cacao. Il est principalement constitué de lait en poudre,
de sucre, de vanille et, tout de même, de beurre de cacao.
Ce faux chocolat est une imposture.

Il existe
trois catégories
de tablettes.
Seule une tablette
de chocolat
supérieur,
comprenant
au moins 52%
de cacao, mérite
l'attention
du chocophile.
Cependant,
diverses sortes
de tablettes
sont présentes
sur le marché.
Le chocolat au lait
ou accompagné
de fruits secs peut
satisfaire des palais
exigeants.

Le chocolat à boire

À l'origine, le chocolat est une boisson.

Il est utilisé comme un reconstituant par les Aztèques, alors que les conquistadors en prennent lorsqu'ils manquent de vin. Aujourd'hui encore, le chocolat liquide représente un moment fort du petit déjeuner, ou une délicieuse parenthèse dans la journée trépidante d'une personne de goût.

Petit déjeuner

S'il est une tradition bien française, c'est celle des tartines de pain beurré trempées dans du chocolat chaud. Le traditionnel bol de chocolat est réalisé à partir de cacao en poudre (le cacao Van Houten, par exemple, mais la marque phare reste le chocolat Poulain), mélangé d'abord avec de l'eau, puis avec du lait. Chacun ajoute du sucre à sa convenance pour réduire l'amertume du cacao.

Photographie
L'une des photos symboles du Paris de Saint-Germain-des-Prés reste l'image d'un plateau de deux tasses de chocolat fumant au côté d'un quotidien parisien plié sur une table. L'illustration étant prise à la terrasse des Deux-Magots en face de l'église Saint-Germain ou au Flore sur le boulevard.

Paris
En dehors du café Les Deux-Magots, d'autres établissements parisiens servent un excellent chocolat chaud. Du chocolat « Africain », grand classique de la maison Angelina, au chocolat viennois de la minuscule Pâtisserie viennoise.

Nouveau petit déjeuner

Les fabricants proposent des produits pour le petit déjeuner à la composition de plus en plus diversifiée et surtout instantanée. Ces préparations minorent très fortement la part du cacao dans leur formule. Le plus souvent, cela se résume à quelques pour cent de cacao maigre, qui sont associés à de l'extrait de malt, du sucre, du lait écrémé en poudre, ou encore du miel, de l'œuf en poudre ou de la cannelle. Parmi les marques les plus reconnues, Banania et Benco font figure d'ancêtres. Mais aujourd'hui, les enfants se laissent surtout séduire par le chocolat Nesquik, à base de cannelle, et par les préparations maltées, comme le Tonimalt ou l'Ovomaltine, créé il y a tout juste cent ans. Jusqu'aux années soixante, l'Ovomaltine se trouvait exclusivement en pharmacie.

Chocolat viennois
Le chocolat viennois
est l'association
délicieuse du cacao
et du lait avec
de la crème fraîche
ou liquide.
Certaines recettes
mêlent les deux
sortes de crème.
La crème adoucit
l'ensemble.
Une seule règle,
associer
deux produits
d'égale qualité.

La tasse de chocolat

Mais les véritables chocophiles recherchent à boire d'authentiques chocolats.

Ceux-ci sont préparés à partir de carrés de chocolat fondus (noir, amer ou au lait). Il importe de verser le lait (ou un liquide composé de deux tiers de lait et d'un tiers d'eau) chaud – non bouillant et hors du feu – sur les très petits morceaux de chocolat. Selon le goût, on rajoute du sucre, du sucre vanillé ou du miel.

Un chocolat à la sévillane incorpore de la cannelle. Alors qu'un chocolat à la brésilienne est associé à du café.

Le chocolat frappé

L'amateur de chocolat n'a pas de saison pour s'adonner à son plaisir. Même les jours de chaleur, un chocolat peut être désaltérant. À condition d'être pris frappé : froid et avec des glaçons. Rafraîchissant !

Le chocolat chaud
est un classique
de la vie enfantine.
Mais le bol
de chocolat tend
à être remplacé
par des prépara-
tions hybrides
où le cacao ne joue
plus qu'un rôle
de figurant.
À l'inverse,
quelques cafés
et chocolatiers
persévèrent
dans l'art
du chocolat à boire.

Gâteaux et autres douceurs

Comme le bonheur, le gâteau est une idée neuve en Europe, un art de vivre contemporain. Pendant plus de deux siècles, le chocolat fut consommé uniquement sous la forme d'une boisson. Depuis, les chocophiles et les pâtissiers se sont rattrapés.

Un peu d'histoire

À partir du XIXᵉ siècle, les gastronomes avertis se délectent de chocolat comme boisson mais aussi comme une crème ou un flan. Il faudra attendre 1852 pour qu'une avancée majeure ait lieu: l'invention à Vienne de la *Sacher Torte*. C'est la première fois que le chocolat est associé à une couche de confiture (d'abricot).

Plus tard, cette fois en Italie, en 1875, on invente les «profiterolles» au chocolat: des choux remplis de glace à la vanille et arrosés de chocolat chaud. Le mouvement est lancé. Il ne s'agit plus de saupoudrer de cacao des gâteaux sans âme pour leur donner quelque saveur, quelque parfum, mais bien de faire du chocolat la colonne vertébrale gustative et aromatique de mets goûteux.

Les gâteaux au chocolat

Il n'y a guère de limites à l'imagination des pâtissiers en matière de gâteaux au chocolat. Une seule règle doit présider à leur élaboration: le respect des arômes. Les recettes sont multiples: de la marquise au chocolat à la chocolatine, en passant par le fondant et le ramolina, qui contribuent tous à renouveler l'art d'accommoder le chocolat. Toutes les compositions sont acceptables pourvu que l'on garde à l'esprit que farine, Maïzena, beurre, crème fraîche, œufs, autres miels et sucres ne sont que des comparses du chocolat, utiles certes, mais devant se faire discrets et modestes.

Savoir composer avec les fruits

D'autres types de gâteaux recherchent une alliance harmonieuse entre les saveurs cacaotées et celles des fruits.

À trop blanchir

La farine, le beurre, le sucre ou la crème fraîche peuvent servir à adoucir l'amertume du cacao ou avoir un rôle de liant et de solidifiant de la préparation. Mais attention à ne pas nuire aux saveurs originelles. On blanchit le gâteau au chocolat, comme l'on blanchit l'argent sale.

Alcools etc.

L'alcool (kirsch ou rhum) se marie fort bien avec les gâteaux au chocolat. Mais ce mets est aussi relevé par des fruits secs (amandes, mais aussi noisettes ou noix). Sans oublier le rôle du café.

ORIGINES | FABRICATION | GOÛT

Légèreté
L'utilisation
des œufs donne
de la délicatesse
et surtout
de la légèreté
aux gâteaux
au chocolat.

De nombreuses saveurs fruitées (en particulier celles des fruits rouges qui rafraîchissent l'arôme, et des agrumes qui allègent le goût) jouent fort bien de leur complémentarité avec le cacao. Attention à ce que la confiture de fruit ne soit pas trop sucrée pour laisser les arômes du chocolat s'exprimer. La Forêt noire (mêlant au chocolat des griottes et du kirsch) compte parmi les plus célèbres gâteaux utilisant la saveur des fruits.

Épices et chocolat

Depuis l'origine, certaines épices se marient naturellement avec le chocolat (vanille, cannelle). Mais d'autres épices viennent aussi rehausser le goût des gâteaux de chocolat. Depuis les Aztèques, on sait assaisonner le cacao de poivre et de piments. La cardamome donne un goût citronné et le carvi (cumin des prés) parfume délicieusement les gâteaux au chocolat. Girofles, graines de pavot ou sésame trouvent aussi à s'associer malicieusement au cacao.

Le chocolat se conjugue sous de multiples formes. Les associations les plus aromatiques sont à base de fruits et d'épices. Farine, beurre ou Maïzena donnent de la tenue et du liant aux préparations mais ne doivent pas nuire aux arômes du cacao.

Mousses, crèmes et pâtisseries

La mousse au chocolat reste un classique de l'École française du chocolat.

La mousse laisse au chocolat toute latitude pour exprimer la puissance de son arôme. Mais d'autres crèmes de chocolat suscitent aussi un sentiment de plénitude. Même sans être un as de la cuisine, on peut faire – et se faire – plaisir.

Les mousses

La mousse (*voir* pp. 52-53) est la porte d'entrée dans le monde du chocolat: c'est en effet l'un des desserts préférés des enfants. Les hommes aussi la plébiscitent.

Une bonne mousse se doit d'être la plus épurée possible. Point de beurre, de farine et de crème, mais seulement du chocolat en tablette (dosée à 52 % au moins, *voir* pp. 28-29) et des blancs d'œufs fouettés en neige. Le miracle est là. Il peut se reproduire à l'infini, car la mousse est particulièrement digeste et légère.

Reste que toutes les associations de parfums sont possibles à partir de cette base fondamentale: cannelle et vanille, mais aussi orange, café, whisky, cognac, écorce d'orange, banane…

Certains préférant des mousses plus lourdes ajoutent du beurre et de la crème, mais cela se produit au détriment des arômes du cacao. En revanche, la mousse au chocolat au lait entretient une certaine finesse pour les adeptes du chocolat doux à la mode suisse.

Les crèmes

Il existe au moins une centaine de recettes différentes de crèmes et d'entremets au chocolat. De la ganache – crème à base de chocolat et de crème fraîche –, la mère de toutes les préparations, à la crème au beurre, les occasions sont multiples de goûter ce type de dessert. Certaines crèmes donnent la priorité au chocolat, d'autres créent des alliances goûteuses avec du café, de la crème de marron ou du miel.

Fondue
La fondue au chocolat (*voir* pp. 52-53) présente une occasion originale et conviviale de partager la passion et le plaisir du chocolat. Les amateurs de sucré utilisent des Schamallow, ceux qui préfèrent plus de légèreté privilégient des brochettes de fruits.

ORIGINES | FABRICATION | GOÛT

**La mode
des Brownies**

Importés
des États-Unis,
les Brownies
(photo *ci-contre*)
font, dans les
années quatre-vingt,
une entrée
remarquée
dans le monde
du chocolat
et de la boulangerie.
Ces petites bouchées
proviennent
du partenariat
entre chocolat noir,
noix pilées et farine
autolevante.

Les pâtisseries

De nombreuses pâtisseries sont réalisées à partir de crème pâtissière au chocolat. L'éclair et la religieuse sont les plus appréciées, mais on peut aussi la trouver dans le millefeuille au chocolat ou dans des choux mariant différentes strates de crèmes. La réussite de ces instants de bonheur dépend principalement de la qualité de la crème, c'est-à-dire du cacao utilisé et de la dose de farine. Le pâtissier Christian Constant conseille la farine de riz au goût plus fin.

D'autres pâtisseries nées de l'imagination fertile des pâtissiers chocolatiers sont faites à partir de mélanges de mousses, de flans ou de plusieurs couches de crèmes. Les associations avec des fruits secs, en extraits ou en morceaux, ou avec des pralinés adoucissent l'amertume du cacao et se marient fort bien avec lui.

La tarte au chocolat (*voir* pp. 54-55) crée une alliance entre cacao et beurre ou entre cacao et crème fraîche épaisse sur fond de pâte brisée. Elle apparaît relativement lourde à digérer.

La mousse
au chocolat
apparaît comme
le symbole du
dessert au chocolat
français. Surtout
dans sa version
la plus épurée.
Mais l'art
du chocolat ouvre
un large champ
pour la création
de crèmes,
pâtisseries et autres
ganaches propres
à satisfaire
tous les palais.

Bonbons, confiseries, barres chocolatées...

au chocolat et de barres chocolatées.
La multiplicité des produits chocolatés répond
à la richesse des habitudes de consommation.
Mais est-ce vraiment du chocolat ?

Confiseries

La confiserie de chocolat englobe tous les produits fabriqués avec du chocolat comme élément principal ou secondaire, en association avec d'autres préparations à base de sucre et différents ingrédients : pâte d'amande, beurre, crème fraîche, liqueur, praliné, fruits secs, caramels, nougats... Les rochers, bouchées, pastilles ou pavés participent de la confiserie de chocolat.

Billes de chocolat

On joue de plus
en plus aux billes...
de chocolat.
Ces confiseries
sont aussi appelées
turbinés. Ce sont
le plus souvent
des fourrages lactés
et aromatisés,
enrobés de chocolat
au lait.

| ORIGINES | FABRICATION | GOÛT |

Chocolats de saison

Certains produits sont fabriqués de façon saisonnière. Ainsi les bonbons de chocolat, vendus en ballottins (emballage en carton) ou en boîtes décorées, sont principalement consommés au moment des fêtes de Noël. À Pâques, l'air du temps est aux moulages en forme d'œuf et aux articles fantaisie (lapins, poules, fritures…), fabriqués le plus souvent avec du chocolat au lait. Mais rares sont les produits de haut niveau gustatif et aromatique.

Les fourrages

Ce sont des confiseries qui constituent l'intérieur des bonbons de chocolat. Parfois, il ne s'agit que de sucre et de sirop de glucose. Les plus complexes sont faits de praliné, de pâtes d'amandes, de liqueur ou de fruits à l'alcool. D'autres encore sont faits à base de caramel ou de nougat. Les procédés de fabrication demandent beaucoup de préparations et de manipulations.

Ainsi, les bonbons de liqueur s'obtiennent-ils par coulée d'un sirop de sucre cuit dans les empreintes d'amidon. On peut ensuite ajouter un alcool. Au refroidissement, une couche homogène et étanche de cristaux de sucre se forme autour de la préparation qui enferme alors une solution saturée de sucre (provenant du sirop cuit).

Les barres chocolatées

La barre chocolatée existe depuis les années vingt. Sa petite taille, sa présentation individuelle, la facilité d'installation dans les présentoirs automatiques ont favorisé son développement, en particulier auprès des enfants et des sportifs. D'autant plus que la diversité des produits et des marques permet de répondre à une extraordinaire variété de goûts.

On distingue plusieurs variétés. La première est constituée des barres classiques fondantes où le chocolat de couverture enrobe le fourrage de chocolat, de caramel, de noix de coco ou de nougat. Mais il existe aussi les barres biscuitées croustillantes, contenant un biscuit ou une gaufrette enrobée de chocolat, les barres pâtissières, les barres céréalières chocolatées, composées de fruits secs ou de céréales, et enfin les barres glacées, qui sont des barres classiques mais réfrigérées.

9,5 millions
C'est le nombre de barres de Mars vendues chaque jour dans le monde. Dans les années vingt, aux États-Unis, Frank Mars vend des biscuits au beurre. À la pause, sa femme a l'habitude de prendre un beignet accompagné de lait malté (comprenant de la poudre de malt) au chocolat. D'où l'idée d'enrober leur confiserie avec du chocolat.

Confiseries de chocolat et barres chocolatées se multiplient. Il s'agit plus souvent de multiples variétés de sucreries que de produits nés du cacao. Reste que certains fourrages regorgent d'arôme et de finesse.

La dégustation

La complexité des assemblages qui composent l'arôme du cacao nécessite de respecter une certaine éthique de la dégustation. Comme pour un bon vin, il faut associer avec délicatesse et intelligence le cacao à toute forme de liquide.

Priorité à l'eau

Pour de nombreux palais, l'eau plate reste le meilleur argument du chocolat. Le seul à ne pas lui nuire et à préparer les papilles gustatives pour recevoir les impressions multiples de l'amer. Car l'eau permet de remettre à zéro la mémoire gustative, d'éliminer la pollution des libations antérieures. Encore faut-il choisir une eau point trop chargée en magnésium ni trop saline. L'eau se doit de rester neutre pour ne pas transformer la sensibilité du palais. C'est pourquoi, si l'on entreprend la dégustation et la comparaison de plusieurs carrés, ganaches (sortes de crèmes) ou macarons, seule l'eau doit être utilisée.

> **Ne pas oublier le verre d'eau !**
> Pour profiter d'une tasse de chocolat chaud, il est impératif de prendre un verre d'eau fraîche et plate quelques secondes auparavant. Une maison qui ne sert pas spontanément le verre d'eau est à fuir !

Chocolat et vin

Là aussi, les avis divergent, les anathèmes fusent. Il apparaît que ce sont les vins cuits à la texture rocailleuse qui se marient le mieux avec le chocolat très amer. Ainsi, le Banyuls a la faveur des chocophiles, mais le Mas Amiel (originaire de la région de Perpignan) a ses *aficionados*.

Certains «accros» de l'amer ne jurent que par le ton sur ton. Ils associent le tanin au tanin, en dégustant leur chocolat pratiquement pur avec du bordeaux rouge jeune et astringent (âpre). Un saint-émilion 1993 devrait faire l'affaire. Les chocolats plus doux, plus sucrés, peuvent s'associer avec des liqueurs fruitées.

Cependant, ces liqueurs laissent souvent un goût de sucre qui épaissit le palais et embrume les réactions gustatives. Les «becs» sucrés peuvent pourtant privilégier certains muscats (Rivesaltes par exemple). Ils accompagnent bien des gâteaux associant chocolat et fruits (tels que la *Sacher Torte*) ou des morceaux de chocolat au lait.

Toutefois, beaucoup de vins ne sont guère tolérés par le chocolat, en particulier s'il a une forte teneur en cacao. Les forces s'opposent, se nuisent et s'anéantissent. Éviter en particulier les vins trop moelleux.

Et le champagne ?

Certains ne boivent que du champagne avec le chocolat. En fait, les qualités des deux produits s'annulent bien plus qu'elles ne se complètent.

Si l'on est un adepte intransigeant des bulles, il faudra veiller à ne prendre que des champagnes faiblement dosés.

Les plaisirs interdits

Le rhum va bien avec certaines ganaches. Tout dépend de la composition aromatique de ces dernières.

Ainsi un mets chocolaté, renforcé d'une pointe de cannelle ou de quelques senteurs vanillées, s'associe naturellement bien avec le rhum des Îles.

Quant au whisky, il peut fort bien se marier avec le chocolat. Après tout, malt et cacao font bon ménage depuis des lustres.

Le chocolat
est un art,
la dégustation aussi.
Pour ne pas
se tromper,
il suffit de marier
les effluves
du cacao avec
une eau plate
et neutre.
Mais certains vins,
le rhum
ou le whisky
font bonne figure.

Chocolat et santé

Magie noire: le cacao agit en bien sur la santé. Il regorge d'éléments qui tonifient l'organisme. D'ailleurs, jusqu'au début du XIXe siècle, on s'attache plus aux vertus médicinales qu'aux vertus gourmandes du chocolat.

Une mine d'oligo-éléments

Depuis les Aztèques (*voir* pp. 4-5), le cacao jouit d'une réputation de bienfait pour la santé. Et cela est justifié. Car la fève de cacao se compare à une mine d'oligo-éléments: potassium, magnésium et calcium se retrouvent en nombre dans le chocolat. Ce cocktail minéral fonde la réputation d'énergisant du cacao. Cent grammes de chocolat noir remplacent agréablement la prise d'une gélule de vitamines chimiques. Le chocolat se pose donc comme un aliment antifatigue et dynamisant qui renforce, en outre, le fonctionnement cellulaire.

Priorité à la vitamine E

L'apport vitaminique du cacao est plus limité même s'il contient la trace de bêta-carotène, de vitamines B 1, B 2, B 5, B 6, PP et B 9. En revanche, le cacao est une source non négligeable de vitamine E, qui agit ainsi contre le vieillissement. En effet, une plaquette de chocolat apporte plus de 35 % des besoins quotidiens recommandés en vitamine E. Mangez donc du chocolat pour rester jeune!

Chocolat de survie

La plupart des armées du monde insèrent du chocolat dans la ration de survie quotidienne. La *US Army Field Ration* délivre à ses soldats 125 grammes de chocolat.

Cocktail noir

Une plaquette de cent grammes de chocolat noir contient:
- 400 mg de potassium,
  soit environ 20 % des besoins quotidiens;
- 280 mg de phosphore,
  soit environ 30 % des besoins quotidiens;
- 100 mg de calcium,
  soit environ 12 % des besoins quotidiens;
- 290 mg de magnésium,
  soit environ 85 % des besoins quotidiens.

| ORIGINES | FABRICATION | GOÛT |

Fort de cholestérol

Longtemps, le chocolat a traîné la (mauvaise) réputation d'être un aliment favorisant le cholestérol.

En fait, la fève renferme des acides gras qui finalement agissent sur le métabolisme du cholestérol en diminuant le mauvais cholestérol (LDL), tout en permettant l'augmentation du bon cholestérol (HDL), celui qui protège des maladies cardio-vasculaires.

C'est l'acide oléique, contenu dans la fève de cacao, qui diminue les LDL et renforce les HDL.

La composition primitive du cacao comporte 62% d'acides gras saturés (34% de stéarique et 28% de palmitique) qui élèvent le taux de cholestérol, contre 38% d'acides insaturés (35% d'oléique et 3% de linoléique), qui ont une action inverse (*voir* encadré ci-dessus).

Or, l'organisme transforme rapidement l'acide stéarique en acide oléique. De ce fait, le beurre de cacao est composé pour près de 70% d'acide oléique. Ce qui fonde le professeur en médecine Henri Chaveron à écrire dans *Le Monde* en 1989 que « *le temps n'est peut-être pas loin où la consommation de chocolat sera conseillée dans les régimes limitant les risques d'athérosclérose!* ».

Cacao anti-caries

La présence de tanins, de phosphates et de fluor dans le cacao en font un aliment anti-caries. À l'inverse, la présence de sucre dans le chocolat va réduire cette action bénéfique. Là aussi, il est donc préférable de choisir des chocolats fortement dosés en cacao.

Digestion et crise de foie

Le chocolat se digère aussi vite que de l'eau. Si la consommation de chocolat agit sur les sécrétions biliaires, il n'y a aucune trace d'effets négatifs sur le foie. Mieux, la forte présence de fibres dans le chocolat en fait un aliment régulateur du transit intestinal.

Le chocolat est un cocktail d'acides insaturés, d'oligo-éléments et, dans une moindre mesure, de vitamines. Aussi le chocolat a-t-il des effets positifs sur le vieillissement et sur le cholestérol.

Chocolat et galanterie

La renommée aphrodisiaque du chocolat n'est plus à faire. Les Aztèques comme les grandes amoureuses – marquise de Pompadour, comtesse du Barry, et autres courtisanes – lui donnaient un rôle majeur pour exciter les sens.

Les Aztèques déjà

Dès la période aztèque (*voir* pp. 4-5), le chocolat a la réputation d'être un aphrodisiaque et un excitant sexuel. Pour cette raison, l'empereur Moctezuma en buvait jusqu'à cinquante tasses par jour. En particulier, lorsqu'il se préparait à venir « visiter » les femmes de son harem.

Il faut dire que le chocolat à la mode aztèque était fort épicé (piment, poivre, clous de girofle), se transformant ainsi en tonique sexuel.

Le chocolat des courtisans

La grande période des courtisanes, du XVIIe au XVIIIe siècle, donne ses lettres de noblesse et de galanterie au chocolat. Madame de Pompadour, la comtesse du Barry ou madame de Maintenon en font grande consommation pour elles-mêmes, et pour leurs amants. Elles pensent ainsi fouetter les sangs et les ardeurs. Mais la prise de chocolat, comme celle des épices ou de l'ambre, excite autant l'imagination et les fantasmes que le corps. À l'époque, le cacao exalte un fumet d'exotisme et d'aventure propre à l'imaginaire amoureux.

Chocolat noir et bébé noir !

La correspondance de Marie de Rabutin-Chantal, marquise de Sévigné, se déroule entre 1657 et 1696. Les lettres sont traversées de remarques sur le chocolat. En particulier en ce qui concerne les effets du chocolat sur le tempérament. Ainsi, dans une lettre à sa fille, madame de Sévigné attribue au péché de chair, accru par la prise de chocolat, des désastres : « *La marquise de Coëtlogon prit tant de chocolat étant grosse, l'année passée, qu'elle accoucha d'un petit garçon noir comme le diable, qui mourut.* »

ORIGINES | FABRICATION | GOÛT

Don Juan chocophile
Avant sa mort, le Don Juan (1787) de Mozart (1756-1791) réclame avec passion du chocolat.

Les hommes aussi

L'écrivain Anthelme Brillat Savarin (1755-1826) utilisait le chocolat avec de l'ambre pour renforcer ses vertus aphrodisiaques. Et le marquis de Sade (1740-1814), grand amoureux s'il en fut, accentuait les pouvoirs du chocolat avec de la poudre de cantharide, elle aussi aphrodisiaque. Dans *Juliette ou les Prospérités du vice* (1797), le divin marquis célèbre le chocolat comme symbole de l'union de l'amour et de la mort.

Un excitant

La présence de substances d'éveil (caféine, théobromine, phényléthylamine en particulier) rend le chocolat à la fois stimulant et euphorisant.
Ce qui lève les inhibitions, en jouant un rôle de stimulant psychique, et renforce l'excitation.

Depuis l'origine, le cacao est porteur d'une image d'aphrodisiaque puissant. Si la réputation est supérieure à son efficacité réelle, reste que le chocolat contient des substances qui, antidépressives et dynamisantes, favorisent l'appétit et le tonus sexuels.

La Maison du Chocolat

Impossible de parler du chocolat sans faire escale chez Robert Linxe, le fondateur de La Maison du Chocolat. Celui qui fut baptisé « *sorcier de la ganache* » par l'écrivain Jean–Paul Aron en 1980 peut, à bon droit, être considéré comme l'inventeur du chocolat moderne.

La dernière création
Les Sévillanes sont la création la plus récente du maître Robert Linxe. Il s'agit d'une ganache associée à six fruits différents : mangue, melon, framboise, pêche de vigne, abricot et citron.

Le chocolat, un produit de luxe à la française
Surtout à la période de Noël, il n'est pas rare de voir des clients réaliser des achats de chocolats qui se chiffrent en dizaines de milliers de francs à La Maison du Chocolat. De même, La Maison du Chocolat est souvent sur le chemin des tours-opérateurs japonais.

Quarante années de passion pour le chocolat

Né dans le Pays basque, la patrie d'origine du chocolat en France (*voir* pp. 10-11), Robert Linxe (photo *ci-contre*) est géographiquement programmé pour s'intéresser au chocolat. En revanche, son milieu familial, avec un père travaillant à la SNCF, n'a rien qui le prédestine à devenir le symbole du chocolat français. C'est pourquoi Robert Linxe attend d'avoir 18 ans pour choisir la difficile voie de l'apprentissage, plutôt que de poursuivre l'enseignement commercial pour lequel il est destiné. Les premières années de formation lui apprennent le métier de cuisinier mais, depuis le début, c'est le chocolat qui est la grande passion de Robert Linxe. Il va d'ailleurs suivre les cours de l'École internationale du chocolat de Bâle en Suisse. Lorsqu'il reprend la pâtisserie La Marquise de Prèle et ouvre sa première maison à Paris, en 1968, il propose déjà une gamme de ganaches (sortes de crèmes), et de pâtisseries au chocolat. À l'époque, il est impossible d'espérer vivre seulement du chocolat. Mais avec La Maison du Chocolat, fondée en 1978, il peut enfin faire le pari d'un lieu totalement dédié à la fabrication et à la vente de chocolats de haute qualité.

La révolution du palais

Ce qui va faire la réputation de La Maison du Chocolat, c'est le renversement par Robert Linxe d'une tendance séculaire. Jusqu'à présent, les chocolatiers cherchaient à adoucir le goût du chocolat et à faire oublier l'amertume

| ORIGINES | FABRICATION | GOÛT |

du cacao. Robert Linxe, à l'inverse, revient vers des chocolats noirs : « *Je n'ai pas inventé le chocolat amer, mais le chocolat non sucré* », résume-t-il. En fait, il a réinventé le chocolat.

La méthode de travail

Robert Linxe a inventé plus de cinquante nouvelles ganaches, sans compter les pâtisseries ou les boissons chocolatées. L'homme est une sorte d'alchimiste des arômes. Il s'agit de travailler des ganaches comme l'on fait un assemblage de cépages en viticulture, puis d'associer le mélange à la pulpe de différents fruits ou épices, et de relever le goût avec une crème ou un sirop. L'imagination et le sens des associations n'ont pas de limites, le cerfeuil ou la menthe trouvent toujours ganache à marier. « *Le secret tient au fait qu'il faut toujours employer des matières premières de grande qualité* », commente Robert Linxe.

De Paris à New York
À Paris, il existe cinq « Maison du Chocolat ». Certaines disposent d'un espace de dégustation, d'autres sont uniquement des boutiques de vente. En 1990, Robert Linxe lance aussi une Maison du Chocolat à New York et des espaces de vente dans des grands magasins et des hôtels aux États-Unis.

Robert Linxe est l'inventeur du chocolat moderne. La Maison du Chocolat est aujourd'hui la référence numéro un du chocolat à la française. Elle est au chocolat ce qu'est Chanel à la mode et au parfum.

Tour de France chocophile

La France est un pays de chocolat. Beaucoup de grandes villes, ou de petits villages, cachent un chocolatier incontournable. Mini Tour de France. Subjectif…

Escales parisiennes

La tournée débute par un succulent chocolat chaud à la terrasse des Deux-Magots (*voir* pp. 12-13), puis on allonge le pas vers La Pâtisserie viennoise et ses petits gâteaux, avant de parcourir la ville de pâtisseries en chocolatiers, et de finir ce périple chez Ladurée, là où se nichent les meilleurs macarons au chocolat du monde.

L'itinéraire gourmand se poursuit par le quartier Saint-Germain, chez Debauve et Galais, la plus ancienne maison de chocolat de Paris, l'une des plus belles et des meilleures aussi. Un peu plus loin se trouve Richart, le chocolat en version *design*. Ensuite, direction les Grands Boulevards, pour entrer chez Fouquet, une maison classique et sûre. Plus bas, non loin des Halles, la pâtisserie Sthorer propose un superbe assortiment de gâteaux au chocolat. Enfin, terminer cette promenade parisienne par les beaux quartiers avec La Fontaine au chocolat de Michel Cluizel, puis avec le Petit Boulé de Jean-Paul Hévin.

Chocolat côté ouest

La Bretagne n'a pas de grande réputation gastronomique ni chocophile, pourtant, elle recèle quelques trésors. À Nantes, impossible d'éviter la superbe boutique de Gautier Debotté, rue Crébillon. Les rochers sont énormes et crémeux. Les Rennais ont le choix entre le chocolatier Duran et la maison de Philippe Bouvier. Si Joël Duran n'officie plus, la nouvelle direction perpétue l'esprit de rigueur et de respect des matières premières qui a fait la réputation du chocolatier. Moins connu, Philippe Bouvier propose des chocolats exquis, où se marient avec bonheur arômes de fruits et cacao.

Il faut faire escale à La Baule, pour se laisser aller au bonheur de la gourmandise «À l'ami Pierrot». Ce pâtissier-

Au poids
À La Fée groisillonne, une superbe boulangerie sur l'île de Groix en Bretagne, l'éclair au chocolat se vend au poids… Mais ce qui retient les papilles, c'est la tarte au chocolat : 100 % de bonheur.

| ORIGINES | FABRICATION | GOÛT |

chocolatier propose quantité de pâtisseries à base de mousse de chocolat. Sublimes...

Ne pas rater notamment le Chamonix, un mélange extraordinaire de chocolat et de crème de marron! Enfin, «Histoire de Chocolat», à Brest, mérite de poser le sac. Non sans avoir, auparavant, goûté le «Ch'tou», un chocolat breton réalisé par Henri Le Roux à Quiberon.

Au sud

La capitale du chocolat au sud de la Loire, c'est Lyon. Grâce aux Bernachon père et fils, mais aussi au «Paloma». Ensuite, il faut pousser jusqu'à Albi, chez Michel Belin, pour déguster Melissa, une ganache à la réglisse. Mais l'on peut aussi choisir les terres arides de Lozère, à Prévenchères, où Jean-Claude Briet propose des ganaches à la noix verte

Un voyage dans le temps
Tout voyageur chocophile se doit de passer au salon Cazenave à Bayonne, pour y prendre un chocolat mousseux et revivre l'épopée du cacao. Sans oublier de faire provision de plaques de chocolat noir à la cannelle.

ou à l'arôme de champignon... Ou encore séjourner à Moulins (Allier), chez Sérardy, dans la ville qui a inventé les Palets d'or. En Bourgogne, le touriste gastronome fera les plus belles découvertes avec, à Dijon, le pâtissier-chocolatier Vannier, rue de la Liberté: il se distingue par la chaleur de l'accueil et par le meilleur éclair au chocolat de France. À noter aussi, à quelques kilomètres de Dijon, les compositions goûteuses de Michel Barbier, à Arnay-le-Duc.

Champagne

Le chocolat version Ardennes, c'est le Bouchon de Champagne: de délicieux chocolats au marc présentés dans des bouteilles dont le fond est évidé.

Quelques chocolatiers, dans les grandes villes ou dans les bourgs, donnent un aperçu subjectif des sentiers chocophiles de France et de Navarre.

Du chocophilisme au chocolisme

Le chocolat peut aussi être une « drogue ». À côté des amateurs éclairés, des chocophiles passionnés et des partisans du chocolat noir, il existe aussi des êtres qui souffrent de chocolisme.

Confréries
En dehors du Club des Croqueurs de chocolat, il existe plusieurs confréries de chocophiles. Petite sélection :
– le CACAOE (Comité d'action du chocolat amer et ouvertement européen) s'est fait connaître par des manifestations spectaculaires contre le chocolat blanc ;
– le CACAO (Confrérie des amateurs de chocolat à l'arôme « othentique ») a repris le flambeau et organise des rencontres autour du chocolat et des événements chocolatiers, dont certains, très artistiques, se déroulent dans l'atelier du peintre Tanguy ;
– le Club de chocolat aux Palais réunit des chocophiles membres du barreau ou de la magistrature ;
– autre confrérie, la Cité du Chocolat réunit des amateurs de chocolat initiés et triés sur le volet.

Les croqueurs

De la même façon qu'il existe des confréries vineuses et des associations gastronomiques, le chocolat a ses clubs et ses chevaleries. Le Club des Croqueurs de chocolat (*voir* p. 49) est la plus célèbre des associations de chocophiles. Créée en 1982, à l'initiative de l'écrivain Jean-Paul Aron (1925-1988), l'association réunit tous les deux mois ses membres pour des séances de dégustation. Le club intervient aussi dans le débat public, à l'occasion principalement des réglementations européennes sur la définition de la composition du chocolat.

La nuit du chocolat

Le 16 octobre 1989, deux mille personnes ont participé à la nuit du chocolat Valrhona. Un moment unique où toute la nuit, les meilleurs chocolatiers, les cuisiniers les plus célèbres, proposaient leurs spécialités. De plus, des grands couturiers organisaient un défilé de mode sur le thème du chocolat.

ORIGINES | FABRICATION | GOÛT

Amers et célèbres

Le Club des Croqueurs de chocolat n'admet que cent cinquante membres et seulement par cooptation. Certains sont célèbres, comme la créatrice de mode Sonia Rykiel, le boulanger Lionel Poilâne, ou des écrivains (*voir* pp. 50-51).

Chocolamaniaques

La passion du chocolat peut engendrer des comportements d'intolérance, à la limite de l'arbitraire. Certains adorateurs du « Noir », jusqu'au-boutisme de l'amertume, n'ont que mépris, quand il ne s'agit pas de haine violente, pour les consommateurs de chocolat au lait.

La fête du chocolat

Certaine villes accueillent des fêtes du chocolat. Ainsi à Bayonne, pour célébrer l'année du chocolat, tout au long de 1997, des animations, expositions et spectacles viennent s'ajouter aux tentations chocolatées proposées par les maisons de chocolat (photo *ci-contre*). De même, Épinal organise le Festival international du chocolat.

À Paris, un Salon du chocolat existe depuis 1995. Le dernier salon a reçu 80 000 personnes.

Le chocolisme

Au début, le mal est doux. Une déprime ou un coup de fatigue sont facilement jugulés par quelques carrés de chocolat ou une bonne religieuse. Mais à chaque crise, il faut augmenter la dose. Car le chocolat renferme des substances (caféine, théobromine ou phényléthylamine, *voir* pp. 18-19 et 42-43) agissant sur les couples plaisir/souffrance, anxiété/sérénité. Selon le *Psychiatric Institute* de New York, les «drogués» du chocolat éprouvent les mêmes sensations que les gens sous amphétamines (médicament provoquant une excitation du système nerveux central). On parle alors de chocolisme, une forme de toxicomanie du sucre.

> Le chocolat est un art de vivre ; aussi ses amateurs souhaitent-ils parfois se réunir dans des confréries pour échanger et goûter, ou encore pour participer à de gigantesques fêtes. Mais cette passion innocente peut dégénérer en dépendance et souffrance : c'est le chocolisme.

Littérature et chocolat

Chocolat et littérature font-ils bon ménage ? Si les écrivains gourmands de chocolat sont relativement nombreux, en revanche, très peu se sont signalés en donnant une place centrale au cacao dans leur œuvre.

La fée Irène Frain
Ne se contentant pas de déguster le chocolat, Irène Frain a écrit un petit conte pour les enfants, *La Fée chocolat* (1995). C'est l'histoire du roi de la soupe aux cailloux qui enlève la fée chocolat pour la faire fondre.

Préface chocophile
Jeanne Bourin a écrit la préface pour *Le Livre du chocolat* (1995), de Feltwell et Labanne. Un superbe livre qui retrace l'histoire de l'or brun et tout ce qui concerne le chocolat. Cette chocophile est aussi l'auteur de *La Cuisine médiévale* (1995).

La chanson aussi
Dalida, avec *Bonbons et chocolats*, Joe Dassin, avec *Les Petits Pains au chocolat*, ou Sabine Paturel, dans *Les Bêtises*, cités parmi d'autres, chantent le temps du chocolat. Une mention spéciale pour Joël Barret, qui a intitulé son disque *Chocolat amer*.

Des écrivains gourmands

Johann Wolfgang von Goethe (1749-1832), Anthelme Brillat Savarin (1755-1826), Stendhal (1783-1842), Honoré de Balzac (1799-1850), Anatole France (1844-1924), Marcel Proust (1871-1922) et même le marquis de Sade (1740-1814) fréquentaient les maisons de chocolat et ne dédaignaient pas goûter un bol de ce nectar. Robert Musil (1880-1942), lui, a passé sa jeunesse dans les cafés de Klagenfurt en Autriche. Avant-guerre, Karl Kraus (1874-1936) aimait goûter une tasse au Café central, à Vienne (*voir* pp. 12-13), tandis que Jean Prévost (1901-1944), l'admirable auteur de *Plaisirs des Sports* (1925), faisait de même, un peu plus tard, au Flore à Paris. Bien plus près de nous, Jean-Paul Aron (1925-1988), l'auteur des *Modernes*, fut un grand amateur de chocolat noir et le cofondateur du Club des Croqueurs de chocolat (*voir* pp. 48-49). De même, Lionel Chouchon, Robert Sabatier, Frédéric Dard, Jeanne Bourin et Irène Frain comptent parmi les écrivains chocophiles. D'ailleurs, Irène Frain, auteur du *Nabab* (1994), retrouve Jeanne Bourin, qui a signé *Les Amours blessées* (1989), au sein du Club des Croqueurs de chocolat.

Jorge Amado, le chantre du cacao

Le Zola brésilien, auteur de vingt-neuf romans, dépeint la vie, la misère et la révolte du petit peuple. L'auteur des *Terres du bout du monde* (1946) compose une fresque saisissante de la lutte des paysans brésiliens pour leur survie et contre l'oppression. Jorge Amado a beaucoup écrit sur les plantations de cacao. Ainsi *Cacao* (1933) décrit la vie, sur plusieurs générations, des planteurs et des propriétaires. Cette saga dépeint, sur fond de douleur et de sueur, la vie tragique des paysans et le rêve brisé d'une communauté d'hommes libres.

ORIGINES | FABRICATION | GOÛT

Mélange de vérité et de réalité, image de magie et d'amour. Dans *La Découverte de l'Amérique par les Turcs*, Amado raconte la vie et l'ascension de Jamil Bichara, un jeune et ambitieux commerçant. Il ouvre boutique dans les années vingt, à Itabuna au Brésil, une bourgade qui vit de la culture du cacao.

Jorge Amado,
ici en visite
à Paris en 1991.

Anatole France, gourmand

Dans *Le Petit Pierre* (1918), Anatole France raconte son goût pour le chocolat et son dégoût du café. Surtout, il se souvient avec émotion de la chocolaterie Debauve et Gallais à Paris. Ce ne sont pas moins de cinq pages qui sont dédiées aux souvenirs d'enfance passés dans la chocolaterie. Extrait du *Petit Pierre*: «*Quand maman avait fait son emplette, la matrone qui présidait cette assemblée de vierges sages prenait dans une coupe de cristal placée à son côté une pastille de chocolat qu'elle m'offrait avec un pâle sourire. Et ce présent solennel me faisait aimer et admirer plus que tout le reste la maison de MM. Debauve et Gallais, fournisseurs des rois de France.*»

Les écrivains sont parfois des gourmands et des chocophiles avertis, quelques-uns ont écrit sur le chocolat. Mais l'œuvre de Jorge Amado est le seul exemple où la culture du cacao – sous toutes ses formes – tient une place centrale.

Mousses, truffes et fondue

Les mousses et les truffes sont l'expression de l'authenticité du chocolat. La différence se fait sur la sélection de la matière première utilisée. La marque Valrhona offre la meilleure garantie quant à la qualité des produits. En tout état de cause, il importe de privilégier des tablettes fortement dosées en cacao et dont la composition est explicitement indiquée.

Les mousses au chocolat

Pour réussir une mousse au chocolat, un seul conseil: faire au plus simple.
Ingrédients:
– 400 grammes de chocolat dessert (52% au minimum de teneur en cacao), 6 œufs, un point c'est tout.
Préparation:
– casser le chocolat en petits morceaux;
– séparer les jaunes des blancs d'œufs et les conserver un à un.

Recette:

> **Nuances de mousse**
> L'orange, le café ou le rhum peuvent renforcer l'arôme de la mousse.

– faire fondre dans une casserole le chocolat à feu doux dans trois cuillerées à soupe d'eau, pour obtenir une pâte lisse;
– hors du feu, ajouter et mélanger dans la casserole le jaune d'œuf pour faire une crème;
– mettre la crème dans un grand saladier;
– battre les blancs en neige ferme pour les ajouter à la crème;
– laisser reposer cinq heures dans le réfrigérateur.

La mousse Florendine (aux noisettes)

C'est une variante de la mousse au chocolat, qui se pratique en Europe du Sud.
Ingrédients:
– 375 grammes de chocolat au lait et aux éclats de noisettes;
– 100 grammes de beurre doux (maintenu hors du réfrigérateur);
– 6 œufs;
– 1 verre de whisky (facultatif).
Préparation identique à la mousse précédente.
Recette:
– faire fondre le chocolat à feu doux dans trois cuillerées à soupe d'eau, jusqu'à l'obtention d'une pâte relativement lisse;
– ajouter, hors du feu, les morceaux de beurre et les jaunes d'œufs un à un. Entre chaque jaune, verser une larme de whisky et mélanger;
– ajouter les blancs en neige progressivement à la crème.
Puis laisser reposer cinq heures au réfrigérateur.

| ORIGINES | FABRICATION | GOÛT |

Les truffes

Deux types de truffes sont possibles : au beurre ou à la crème. On privilégiera les truffes à la crème.

Pour faire un kilo de truffes, il est nécessaire de recourir à nombre d'ingrédients :

– 500 grammes de chocolat à cuire ;

– 1 sachet de sucre vanillé ;

– 375 grammes de crème fraîche ;

– 250 grammes de chocolat de couverture pour faire le nappage ;

– 250 grammes de cacao en poudre.

Préparation :

– faire bouillir la crème fraîche, jeter dedans le chocolat coupé en morceaux, puis remuer jusqu'à ce qu'il soit fondu. Ensuite, ajouter le sucre vanillé ;

– laisser refroidir, 10 heures au moins, la crème versée dans un saladier.

Recette :

– travailler la pâte avec une spatule jusqu'à ce qu'elle blanchisse et devienne bien ferme ;

– avec une petite cuiller, prendre des boules de pâte, les rouler dans la paume des mains ;

– poser les truffes au fur et à mesure sur une feuille d'aluminium.

Les mettre au froid jusqu'à ce qu'elles durcissent complètement ;

– faire fondre le chocolat de couverture au bain-marie, à feu doux, avant de le travailler à la spatule pour qu'il devienne bien lisse ;

– avec une fourchette, tremper les truffes dans le chocolat fondu encore tiède ;

– rouler les truffes dans le cacao en poudre à la main ou à l'aide d'une fourchette.

Mettre ensuite chaque truffe dans une boîte hermétique.

Les truffes peuvent se conserver quarante-huit heures dans le réfrigérateur.

Fondue

Tremper des fruits dans un saladier de crème de chocolat (réalisée avec 400 g de chocolat noir, 125 g de beurre, 1/2 l d'eau tiède et du sel). Puis placer le tout dans une marmite sur un réchaud chauffé à feu doux.

Quelques recettes simples – mousses, truffes et fondue – donnent la priorité au chocolat et ne nécessitent pas d'être un grand pâtissier pour se faire plaisir.

Gâteaux et tartes

Le chocolat se prête à toutes les combinaisons.

Il permet de faire des gâteaux de toutes sortes. Exemples.

Les gâteaux au chocolat

À la base des gâteaux, les ingrédients sont toujours les mêmes: chocolat, œufs, beurre et farine. C'est dans les proportions que se fait la différence.
Et dans le choix des matières complémentaires.

Le gâteau Marie

Ingrédients:
500 grammes de chocolat dessert (52 % au minimum de teneur en cacao),
150 grammes de sucre de canne en poudre, 75 grammes de farine et 4 œufs.
Préparation:
– casser le chocolat en petits morceaux;
– beurrer et fariner un moule d'environ 25 cm de diamètre.
Recette:
– faire fondre dans une casserole le chocolat à feu doux avec le beurre
jusqu'à l'obtention d'une crème;
– hors du feu, ajouter petit à petit dans la casserole les œufs et bien mélanger;
– verser la préparation dans le moule et faire cuire 30 à 40 minutes à four
très doux (préalablement chauffé à 175 °C);
– démouler le gâteau. Lui donner le temps de refroidir;
– attendre le lendemain pour le déguster.

Le gâteau mousse

Ingrédients:
230 grammes de chocolat dessert (52 % au minimum), 10 cl de lait, 2 cuillères
à soupe de Maïzena et 6 œufs.
Préparation:
– casser le chocolat en petits morceaux;
– séparer les blancs et les jaunes d'œufs.
Recette:
– faire fondre le chocolat dans du lait au bain-marie;
– incorporer les jaunes d'œufs, et battre les blancs en neige très ferme;
– ajouter les blancs au chocolat pour faire une mousse;
– séparer la mousse en deux parties identiques. Laisser la première partie prendre
au moins 6 heures au réfrigérateur;
– ajouter la Maïzena à l'autre partie de la mousse puis la verser dans un moule
préalablement beurré;

| ORIGINES | FABRICATION | GOÛT |

– faire cuire 5 à 10 minutes (four préchauffé à 180 °C);
– démouler et laisser refroidir;
– napper le gâteau avec la première partie de la mousse.

La tarte au chocolat

Il y a plusieurs recettes de tarte au chocolat, on préférera la version «tout chocolat», plutôt que des préparations trop lourdes et trop crémeuses.
Ingrédients:
75 grammes de chocolat noir, 40 grammes de sucre en poudre, 15 grammes de gélatine, 2 œufs, 10 grammes d'amandes effilées, 20 cl de crème fraîche à 40 % de matière grasse et 25 cl de lait.
Préparation:
– préparer un bain-marie;
– faire cuire un fond de tarte;
– faire griller les amandes à la poêle;
– les hacher de façon sommaire;
– casser le chocolat en morceaux et séparer les blancs des jaunes d'œufs.
Recette:
– faire fondre le chocolat dans le lait à feu doux tout en fouettant sans arrêt pour faire une crème;
– verser les jaunes d'œufs dans une jatte, ajouter le sucre et battre l'ensemble au fouet, jusqu'à faire blanchir le mélange;
– incorporer la crème en remuant vivement avec une cuillère en bois;
– placer la jatte au bain-marie frémissant et mélanger sans arrêt pendant 10 minutes. Attention à ne pas faire bouillir la préparation;
– placer la jatte sur des glaçons;
– verser trois cuillerées à soupe d'eau dans un bol et y incorporer la gélatine;
– mettre le bol au bain-marie et attendre que la gélatine soit dissoute;
– la verser dans la jatte et mélanger jusqu'à ce que la préparation menace de prendre;
– retirer alors la jatte de la glace.
– battre les blancs en neige et fouetter légèrement la crème fraîche;
– incorporer doucement la crème fraîche fouettée dans la jatte, puis les blancs d'œufs montés en neige;
– étaler les amandes grillées sur le fond de tarte, puis la recouvrir avec la préparation au chocolat;
– bien lisser la surface;
– attendre au moins une heure que la préparation prenne dans le réfrigérateur.

Trois recettes faciles à faire – le gâteau Marie, le gâteau mousse, la tarte au chocolat –, qui nécessitent peu de temps et peu d'ustensiles, mais toujours un chocolat de grande qualité.

La consommation

En Europe, la consommation annuelle de chocolat est en progression constante depuis la fin des années cinquante. Elle a augmenté de plus de 15% entre 1990 et 1995. La consommation de chocolat des Français se situe tout juste dans le milieu du tableau, mais la progression sur les cinq dernières années est inférieure à la moyenne européenne.

Consommation américaine

Les Américains consomment annuellement cinq kilos de chocolat par personne, alors que les Japonais se contentent de 1,7 kilo.

Les deux Europe

La consommation de chocolat en Europe est fonction de trois facteurs principaux : les habitudes alimentaires, les conditions climatiques et l'environnement économique. Les pays du Nord, gros consommateurs, s'opposent à ceux du Sud, faibles amateurs.

Évolution de la consommation annuelle de chocolat par personne en Europe entre 1990 et 1995 (en kilogrammes)			
Pays	1990	1995	Progression en %
Allemagne	8,46	10,02	18,51
Autriche	7,66	9,87	28,8
Belgique	8,99	9,83	9,27
Danemark	6,25	8,32	33,11
Espagne	2,08	3,73	79,75
Finlande	3,80	3,36	– 11,51
France	5,83	6,43	10,30
Grande-Bretagne	7,78	8,12	4,37
Grèce	2,68	2,97	10,78
Irlande	6,53	5,39	– 17,48
Italie	2,37	3,21	35,19
Norvège	8,12	8,00	– 1,30
Pays-Bas	4,35	4,36	0,40
Portugal	1,25	1,73	38,49
Suède	5,51	5,08	– 7,94
Suisse	10,59	10,16	– 3,98
Moyenne	5,76	6,28	15

Source : OICCC (Office international du cacao, du chocolat et de la confiserie)

ORIGINES   FABRICATION   GOÛT

L'industrie
du chocolat en chiffres

**Aujourd'hui, le chocolat est une industrie.
Les géants de l'agroalimentaire prennent
une place prépondérante.
Mais au-delà de l'aspect industriel,
c'est la notion de chocolat qui est en jeu.**

Chiffre d'affaires en France en 1996 des principaux acteurs du chocolat (en milliards de francs)			
Cacao Barry	2,17	Ferrero France	2,067
Mars	1,864	Cantalou	1,056
Nestlé France	2,744	Cadbury	1,264
Lindt	1,115	Jacquot	0,631
Kraft Jacobs Suchard	1,785		

Source: Chambre syndicale nationale des chocolatiers.

Nestlé
Le numéro 1
de l'industrie
agroalimentaire
réalise en 1996
un chiffre d'affaires
mondial
de 240 milliards
de francs.
Les chocolats
et confiseries
représentent
36 milliards
de francs, soit 15%
du total.
À comparer
avec les 66 milliards
générés par l'activité
produits laitiers,
diététiques
et glaces.

Concentration
En France, en 1996, plus de 85% du chiffre d'affaires
est réalisé par des entreprises à vocation mondiale.

Chocolat sans chocolat
Il y a deux Europe pour une seule appellation chocolat.
La Grande-Bretagne, l'Irlande ou le Danemark
n'hésitent pas à ajouter des matières grasses végétales
(autres que le beurre de cacao) à leur «chocolat»,
alors que les autres pays excluent ce détournement.
Certains proposent d'appeler «végécao» ce type
de chocolat. Mais il apparaît que la Commission
de Bruxelles, au nom du libre-échange, va laisser
se généraliser cette pratique sans distinguer l'appellation. Une seule solution: être vigilant sur la composition
lors de l'achat, et demander une appellation d'origine
contrôlée (AOC) pour les chocolats véritables.

États producteurs

La production mondiale annuelle de fèves de cacao a plus que doublé en quarante ans, passant de 1,172 million de tonnes pour la campagne 1960-1961 à 2,715 millions estimés pour 1996-1997. La Côte d'Ivoire reste le premier producteur mondial, l'Afrique à elle seule représente plus de 60 % de la production totale.

La bourse du cacao

Les cours de la tonne de cacao se négocient à la bourse de Londres et sur le marché du sucre, du café et du cacao de New York. Les cours varient en fonction des résultats des campagnes de production, des conditions climatiques et de l'état du stock. C'est un marché très spéculatif, qui peut varier de 20 % en quelques semaines. En raison de la hausse de la consommation, les cours ont fortement progressé. Avec, cependant, des fluctuations importantes selon les années. Ainsi, le prix moyen de la tonne s'élevait à 730 dollars en 1969-1970, pour atteindre son cours le plus haut lors de la campagne 1976-1977 avec 3 632 dollars. Puis les cours ont diminué, pour revenir à un point bas de 1 051 dollars la tonne lors de la campagne 1992-1993. Sur la période la plus récente, les cours ont évolué aux environs de 1 700 dollars.

Répartition de la production de fèves de cacao par zone continentale (en millions de tonnes, MT)	
Continent	Production totale campagne 1996-1997*
Afrique	1,761 MT
Asie et Océanie	0,497 MT
Amérique centrale et du Sud	0,457 MT

Source des deux tableaux : OICCC* Prévisions (Office international du cacao, du chocolat et de la confiserie).

Les six premiers producteurs de fèves de cacao (en millions de tonnes, MT)	
Pays	Production totale campagne 1996-1997*
Côte d'Ivoire	1,125 MT
Ghana	0,335 MT
Indonésie	0,325 MT
Brésil	0,165 MT
Nigeria	0,150 MT
Malaisie	0,115 MT

L'année cacao

Pour les producteurs de cacao, l'année débute le 1er octobre pour se terminer le 30 septembre.

ORIGINES | FABRICATION | GOÛT

Conservation du chocolat

L'humidité blanchit le chocolat, la lumière l'oxyde et le rancit. Le chocolat, quelle que soit sa forme, a besoin de soins et d'attention pour garder toute sa magie.

Le temps contre le chocolat

La température optimale de conservation se situe aux environs de 17 °C. Il importe de conserver les chocolats dans un endroit sec. L'idéal étant de les placer dans une boîte hermétique.

Ce sont les tablettes qui se conservent le plus longtemps (un an et même plus).

Il est préférable de ne pas laisser « dormir » plus de six mois des chocolats fourrés.

Dans tous les cas, il vaut mieux se hâter de déguster le chocolat qui, au contraire du vin, ne se bonifie pas avec le temps. Le moelleux tend à s'évanouir progressivement, alors que la fermeté initiale devient dureté.

En revanche, certaines préparations peuvent être plus toniques le lendemain de leur élaboration.

Gare aux stocks !

Attention, certaines marques (en particulier pour les boîtes de confiserie de chocolat distribuées dans les hypermarchés) constituent des stocks pour pouvoir répondre à l'accroissement de la demande au moment des fêtes de Noël.

Pas besoin de frigo !

Hormis les truffes (*voir* pp. 52-53) à la crème fraîche (qui doivent se consommer sous 48 heures), les chocolats n'ont rien à faire dans un réfrigérateur.

Test

Casser un morceau. S'il s'effrite, c'est signe de vieillesse ; s'il est mou, c'est qu'il a pris trop d'humidité.
Un chocolat se doit d'être croquant.

Adresses gourmandes

Quelques adresses choisies de façon évidemment subjective.

Paris

Debauve et Galais :
30, rue des Saint-Pères 75007 Paris.
Tél. : 01 45 48 54 67
Fouquet :
36, rue Laffite 75009 Paris.
Tél. : 01 47 70 85 00
Les Deux-Magots :
6, place St-Germain-des-Prés
75006 Paris. Tél. : 01 45 48 55 25
Ladurée :
16, rue Royale 75008 Paris.
Tél. : 01 42 60 21 79
La Fontaine au chocolat :
193, rue Saint-Honoré 75001 Paris.
Tél. : 01 49 27 01 30
La Maison du Chocolat :
52, rue François-Ier 75008 Paris.
Tél. : 01 47 23 38 25
La Pâtisserie viennoise :
8, rue de l'École-de-Médecine
75006 Paris. Tél. : 01 43 26 60 48
Le Petit Boulé (Jean-Paul Hevin) :
16, avenue de la Motte-Piquet
75007 Paris. Tél. : 01 45 51 77 48
Richart :
258, boulevard Saint-Germain
75007 Paris.
Tél. : 01 45 55 66 00
Sthorer :
51, rue Montorgueil 75003 Paris.
Tél. : 01 42 33 38 20

Ouest

À l'ami Pierrot :
69, av. du Général-de-Gaulle
44500 La Baule.
Tél. : 02 40 60 21 69

Bouvier :
5, rue de la Parcheminerie
35000 Rennes.
Tél. : 02 99 78 14 08
Durand :
5, quai de Chateaubriand
35000 Rennes.
Tél. : 02 99 78 10 00
La Fée groisillonne :
7, rue du Presbytère
56590 île de Groix.
Tél. : 02 97 86 50 58
Le Roux :
18, rue du Port-Maria
56170 Quiberon.
Tél. : 02 97 50 12 01.
Gautier Debotté :
15, rue Crébillon 56000 Nantes.
Tél. : 02 40 69 03 33.
Histoire de Chocolat :
60, rue de Siam 29000 Brest.
Tél. : 02 98 44 66 09

Au sud de la Loire

Andrieu :
2, rue Carmes 64100 Bayonne.
Tél. : 05 59 25 72 95
Bernachon :
42, cours Franklin-Roosevelt
69006 Lyon.
Tél. : 04 78 24 37 98
Jean-Claude Briet :
La Chocolatière, 48800 Prévenchères.
Tél. : 04 66 46 01 93
Cazenave :
19, Arceaux du Port-neuf 64100
Bayonne. Tél. : 05 59 59 03 16.
Ginet :
9, rue de la Charité 69002 Lyon.
Tél. : 04 78 42 09 82

ORIGINES | FABRICATION | GOÛT

Henriet:
16, av. Beau Rivage 64200 Biarritz.
Tél.: 05 59 23 04 10
Michel Barbier:
1, rue Jean-Maire
21230 Arnay-le-Duc.
Tél.: 03 80 90 12 09
Michel Belin:
4, rue du Docteur-Camboulives
81000 Albi.
Tél.: 05 63 54 18 46
Les Palets d'or (Sérardy):
11, rue de Paris 03000 Moulins.
Tél.: 04 70 44 02 71
Palomas:
2, rue du Colonel-Chambonnet
69002 Lyon. Tél.: 04 78 37 74 60

Vannier:
12, rue de la Liberté 21000 Dijon.
Tél.: 03 80 30 27 17

Est

Au palet d'or:
136, boulevard de La Rochelle
55000 Bar-le-Duc.
Tél.: 03 29 79 08 32
Pâtisserie Rouilleaux:
rue Marius-Cartier 52100 Saint-
Dizier. Tél.: 03 25 06 93 49
Chocolaterie Thibault:
allée Maxenu 51530 Pierry.
Tél.: 03 26 51 58 04.

Adresses utiles

En dehors des artisans chocolatiers, le monde du chocolat est représenté par différentes institutions.

Chambre syndicale des chocolatiers:
194, rue de Rivoli 75001 Paris.
Tél.: 01 44 77 85 85.
La chambre représente les intérêts
des industriels français du chocolat.

L'Alliance des syndicats des industries
de la biscotterie, de la biscuiterie,
des céréales prêtes à consommer
ou à préparer, de la chocolaterie,
de la confiserie, des aliments de l'enfance et de la diététique, des industries
alimentaires diverses (Alliance 7):
194, rue de Rivoli 75001 Paris.
Tél.: 01 44 77 85 85.

*International Office of Cocoa,
Chocolate and Sugar Confectionery:*
1, rue Defacqz bte 7 – B – 1050
Bruxelles (Belgique).
Tél.: 00 322 539 18 00.

L'IOCCC représente au niveau
mondial les industries du cacao,
du chocolat et de la confiserie.
CAOBISCO (Association
des industries de la chocolaterie,
biscuiterie, biscotterie et confiserie
de l'Union européenne) étant
l'association correspondante
pour l'Europe. Elle intervient pour
soutenir la recherche scientifique
et le développement de ce secteur
industriel.

Association française du commerce
de cacao:
Bourse du Commerce,
2, rue Viarmes 75001 Paris.
Tél.: 01 42 33 15 00.
L'AFCC suit les questions concernant
la fève de cacao en tant que matière
première.

Bibliographie

Livres gourmands

BERNACHON (Maurice et Jean-Jacques), MARTIN (André), *La Passion du chocolat*, Flammarion, 1991.

CONSTANT (Christian), *Le Chocolat*, Fernand Nathan, 1988.

JOLLY (Martine), *Le Chocolat, une passion dévorante*, Robert Laffont, 1983.

LEFORT (Yannick), *La Journée chocolat*, Hachette Pratique, 1996.

LINXE (Robert), *La Maison du Chocolat*, Laffont, 1992.

VERGNE (Marie-Blanche), *Les Desserts au chocolat*, Solar, 1992.

Ouvrages d'analyse

CAMPORESI (Piero), *Le Goût du chocolat*, Grasset, 1992. Cet ouvrage explique comment la cuisine légère est un signe que la société du XVIIIᵉ siècle se modernise.

CORNE (Alain), *Clandestins: neuf Africains dans la cale… un rescapé,* L'Harmattan, 1994. L'histoire du navire MC Ruby qui transportait une cargaison de fèves de cacao et neuf clandestins.

GOMBEAUD (Jean-Louis), MOUTOUT (Corinne), SMITH (Stephen), *La Guerre du cacao : histoire secrète d'un embargo*, Calmann-Lévy, 1990. L'envers du décor.

Docteur ROBERT (Hervé), *Les Vertus thérapeutiques du chocolat*, Artulen, 1990.

RUF (François), *Booms et crises du cacao : les vertiges de l'or brun*, Karthala, 1995.

Romans

AMADO (Jorge), *Cacao*, Stock, 1984.

AMADO (Jorge), *La Découverte de l'Amérique par les Turcs*, Stock, 1992.

COWPER POWYS (John), *Comme je l'entends*, Le Seuil, 1989.

FRAIN (Irène), BERMAN (Laurent), *La Fée chocolat*, Stock, 1995. (Pour enfants)

SÉVIGNÉ (marquise de), *Les Lettres de madame de Sévigné*, Mango, 1996.

Revues

Chocolat Magazine: 60, rue Grenéta 75002 Paris. Tél.: 01 44 76 85 22. Enfin, un magazine sérieux et bien fait sur le chocolat et ses passions.

Le chocolat sur Internet

– http//perso.club-internet.fr/mcl/chocolat.html. Un site sympathique et utile réalisé par une chocophile passionnée, Marie-Christine Labourel.

– http://www.roy.fr.
Autre site personnel.

– http://www.little-france.com/le-tech et http://www.nad.be sont deux sites commerciaux.

Deux sites américains:
– http://archimedes.qrc.com/~~sholubek/choco/bogart.htm
Les dialogues électroniques d'un «fêlé» du chocolat.

– http://condor.stcloud.msus.edu/~~triskm01/hazel/wonka/lyrics.htm
Une série de chansons rigolotes du groupe de musique américain *Willy Wonka's Lyrics* et de l'entreprise *Chocolate Factory*.

| ORIGINES | FABRICATION | GOÛT |

Index

Le numéro de renvoi correspond à la double page, sauf pour la partie Approfondir.

Responsable éditorial
Bernard Garaude
Directeur de collection – Édition
Dominique Auzel
Secrétariat d'édition
Véronique Sucère
Correction – révision
Jacques Devert
Iconographie
Sandrine Batlle
Conception graphique
Bruno Douin
Maquette
octavo
Fabrication
Isabelle Gaudon
Marie-line Danglades

Crédit photo :
Cedus-photothèque : pp. 3, 5,9, 15,
19, 20, 23, 27, 28, 30-31, 33, 35, 36,
53, 55, 63 / Roger-Viollet : pp. 6, 11,
12, 43 / Sygma : pp. 16, 25, 51 / La
Maison du Chocolat : p. 44-45 / D.
Chauvet-Milan Presse : p. 47 / Mairie
de Bayonne : p. 48 / Académie du
chocolat de Bayonne : p. 49

*Les erreurs ou omissions
involontaires qui auraient pu
subsister dans cet ouvrage malgré
les soins et les contrôles de l'équipe
de rédaction ne sauraient engager
la responsabilité de l'éditeur.*

© 1997 Éditions MILAN
300, rue Léon-Joulin,
31101 Toulouse cedex 01 France

Aubin Imprimeur, 86240 Ligugé. — D.L. juillet 1998. — Impr. P 56523